LE COMPTEUR DE GLUCIDES

Magali Walkowicz

D1002989

Du même auteur

Céto cuisine, Thierry Souccar Éditions, 2015
Le guide de la chirurgie de l'obésité (avec Élodie Sentenac),
Thierry Souccar Éditions, 2014

Direction éditoriale : Elvire Sieprawski
Conception graphique et réalisation : Catherine Julia (Montfrin)

Imprimé et façonné en France par Jouve (Mayenne),
3e trimestre 2018

Dépôt légal : 2e trimestre 2015
ISBN 978-2-36549-118-1
© Thierry Souccar Éditions, 2015, Vergèze
www.thierrysouccar.com

Sommaire

INTRODUCTION

Pourquoi ce guide ?

Que vous cherchiez à perdre du poids, équilibrer un diabète, lutter au mieux contre le cancer ou freiner la maladie d'Alzheimer, le meilleur moyen d'y parvenir c'est de manger moins de sucres. C'est scientifiquement prouvé.

Véritable outil de diététique, ce guide vous donne la teneur en glucides de près de 1500 aliments courants. Pour 100 g et pour la portion usuelle.

Vous saurez en plus :
- combien de calories, graisses et protéines chaque aliment renferme,
- identifier en un clin d'œil les aliments à favoriser et ceux à éviter,
- en quoi un régime riche en glucides pose problème et pourquoi les réduire apporte tant de bénéfices,
- quel régime pauvre en glucides vous convient,
- comment débusquer les sucres cachés,
- comment décoder les étiquettes au supermarché.

1 - Tour d'horizon des régimes pauvres en glucides

L'ALIMENTATION *LOW-CARB*

Low-carb est l'abréviation de *low carbohydrates* en anglais qui signifie littéralement « faible en hydrates de carbones ». Une alimentation *low-carb* c'est donc une alimentation pauvre en glucides. Cette alimentation est très efficace pour perdre du poids et résoudre les problèmes de santé qui en découlent (maladies cardio-vasculaires, prédiabète, diabète). Elle était largement répandue avant les années 60 et donnait de bons résultats. Malheureusement au début des années 1970, changement de cap : on passe sous le règne des calories. Puisqu'un gramme de graisses apporte 9 calories (kcal) et qu'un gramme de glucides n'en apporte que 4, on se dit que finalement le plus sûr moyen de maigrir c'est de manger moins de graisses et de les remplacer par des glucides. En théorie, ça doit marcher : si le corps reçoit moins de calories, il doit maigrir. En pratique, malheureusement, ça ne marche pas du tout. Cette erreur de raisonnement a fait payer un lourd tribut à la population américaine (les Américains ont pris du poids et leur santé n'a cessé de se dégrader). Aux Européens aussi.

Cet échec des régimes pauvres en graisses a remis au goût du jour l'alimentation *low-carb*. Adopter une alimentation *low-carb* pour maigrir revient à accepter l'idée que le surpoids et l'obésité ne sont pas la résultante d'un déséquilibre énergétique mais d'un déséquilibre hormonal. Le poids est corrélé à l'insuline, l'hormone du stockage des sucres et des graisses. Or, parmi les trois nutriments énergétiques que l'on trouve dans notre assiette (protéines, lipides, glucides), seuls les glucides génèrent massivement de l'insuline.

LE RÉGIME CÉTOGÈNE

C'est un régime *low-carb* extrême. Il permet de perdre du poids comme tous les régimes *low-carb* mais il est surtout utilisé à des fins thérapeutiques dans le cadre d'épilepsies résistantes aux traitements médicamenteux, de maladies neurodégénératives comme Alzheimer, Parkinson, la sclérose latérale amyotrophique, de lésions cérébrales dues à certains accidents vasculaires cérébraux (AVC), dans le cadre de troubles du métabolisme et de certains cancers. Très strict, il consiste à consommer une très grande quantité de lipides et une infime quantité de « non-lipides » c'est-à-dire de protéines et de glucides, avec idéalement une part de glucides inférieure à la part de protéines. Lipides, protéines et glucides doivent donc être apportés à l'organisme dans des proportions très finement dosées.

Lorsque l'on adopte ce type d'alimentation, le foie se met à produire des petites molécules appelées « cétones » ou « corps cétoniques ». Ces cétones constituent une excellente source d'énergie pour pratiquement tous les tissus corporels : les muscles, le foie, le cœur, le cerveau… Résultat, lorsque l'on suit un régime cétogène, le corps ne carbure plus au glucose, il carbure aux cétones. On dit qu'il est en état de « cétose ». Il se transforme en une « machine à brûler les graisses ». Cet état de cétose a de nombreux bénéfices thérapeutiques que je détaillerai plus loin.

LE RÉGIME ATKINS

Il s'agit peut-être du régime *low-carb* le plus célèbre. Mis au point par le Docteur Atkins en 1972, il a été revu et corrigé en 2011 par trois professeurs de médecine universitaires, les Dr Eric Westman, Stephen Phinney et Jeff Volek, afin de le rendre plus facile et plus agréable à suivre.

Ce régime exclut les glucides de l'alimentation totalement pendant une à deux semaines. Puis il les réintroduit progressivement dans les semaines suivantes jusqu'à un certain seuil que chacun doit définir en fonction de son métabolisme (quantité de glucides que l'on peut consommer sans reprendre du poids). Le régime Atkins présente l'avantage de ne pas nécessiter de compter les calories. Il favorise une alimentation variée : des protéines, des légumes, des fruits et des bonnes graisses. En somme seuls les sucres et les féculents doivent être fortement limités. Les parts de lipides et de protéines sont laissées au libre choix. Il s'agit donc d'une version moins stricte que la diète cétogène. Le régime se déroule en 4 phases marquées chacune par une quantité précise de glucides. Phase 1 : pas plus de 20 g de glucides par jour, phase 4 : selon la tolérance de chacun (les phases intermédiaires permettent d'augmenter progressivement la quantité et d'élargir la palette des aliments glucidiques).

LE RÉGIME IG

C'est un régime qui a fait ses preuves pour perdre du poids[1] et équilibrer un diabète[2]. Il vise principalement à contrôler la qualité des glucides que l'on consomme. On peut manger des glucides mais à condition qu'ils n'élèvent pas trop la glycémie après un repas. Cette capacité à élever la glycémie est mesurée par l'index glycémique (IG), d'où le nom du régime.

• Les glucides qui favorisent les pics de glycémie après un repas ont un IG élevé (>70).
• Les glucides qui ont peu d'influence sur la glycémie ont un IG bas (<55).
• Entre les deux se trouvent les glucides à IG modéré.

Lorsque l'on consomme des glucides à index glycémique élevé, le pancréas sécrète une importante quantité d'insuline dans le sang. Or les pics d'insuline favorisent le stockage des graisses voilà pourquoi le régime IG préconise de consommer prioritairement des glucides à IG bas.

Le régime IG se déroule en 3 phases : la première n'autorise que les aliments à IG très bas, la deuxième inclut les aliments à IG modéré et la dernière tolère, à titre exceptionnel, les aliments à IG élevé. La quantité de glucides a également son importance dans ce type de régime. Deux aliments à IG bas peuvent avoir un effet sur la

1 Angélique Houlbert et Elvire Nérin : *Le Nouveau Régime IG*, Thierry Souccar Éditions, 2011.
2 Dr Jacques Médart et Angélique Houlbert : *Le Nouveau Régime IG Diabète*, Thierry Souccar Éditions, 2012.

glycémie plus ou moins marqué selon la quantité de glucides qu'ils renferment. Opter pour celui qui en contient le moins sera donc un atout supplémentaire pour la perte de poids (ce sera indispensable en cas de diabète). À noter qu'un régime IG qui ne comporterait que 10 % de glucides dans la ration énergétique amènerait le corps en état de cétose comme dans le cadre du régime cétogène.

■ IG BAS NE SIGNIFIE PAS PAUVRE EN GLUCIDES

Un aliment ayant un index glycémique bas ne signifie pas qu'il ne contient pas de glucides ou même qu'il en contient très peu ! Les légumineuses qui sont riches en glucides mais aussi riches en fibres, ont un IG bas. Consommées en quantité modérée, elles influencent peu la glycémie et ne provoquent pas de pics d'insuline. Toutefois, du fait de la quantité de glucides qu'elles renferment, elles peuvent compromettre la cétose dans le cadre d'un régime cétogène.

LA PLUPART DES RÉGIMES MINCEUR HYPOCALORIQUES ET PROTÉINÉS

Ces régimes incluent des phases alimentaires pauvres en glucides (*Le Compteur de glucides* sera particulièrement utile à ce moment-là), avant de proposer des phases de stabilisation qui réintroduisent progressivement les glucides. Cependant, en tant que diététicienne, je dois vous avertir que les kilos perdus finissent toujours par revenir. La réintroduction des glucides y est pour quelque chose. Si diminuer la part de glucides vous a fait maigrir, pour rester mince, il faut continuer à consommer peu de glucides.

2- Pourquoi diminuer sa consommation de glucides

Chercher à contrôler la part de glucides de son alimentation, peut sembler déroutant à certaines personnes. Les ANC (apports nutritionnels conseillés) émis par l'ANSES (Agence nationale de sécurité sanitaire de l'alimentation, de la santé et du travail), le PNNS (Plan national nutrition santé), la pyramide alimentaire (affichée dans la plupart des lieux publics destinés à la santé et à l'alimentation), indiquent que les féculents et les produits céréaliers, nos principales sources de glucides, sont sains, bons et indispensables à l'organisme et qu'il en faut tous les jours et à tous les repas. On sait aujourd'hui, qu'au contraire, au même titre que les sucres ajoutés, ils nous font prendre du poids et altèrent notre santé.

MANGER MOINS DE GLUCIDES...

... pour maigrir et préserver son capital santé

S'il y a une chose que j'ai apprise au cours de mon expérience professionnelle, c'est que pour perdre du poids, le plus efficace est d'éviter les pics de glycémie et donc d'insuline. C'est seulement de cette façon que l'on obtient des résultats durables. Cela revient à abaisser la teneur en glucides de l'alimentation en adoptant une diète *low-carb* comme le régime Atkins par exemple ou bien en adoptant un régime à IG bas. Gary Taubes, célèbre journaliste scientifique américain, explique clairement pourquoi il en va ainsi dans ses livres[3] *Good calories, Bad calories* (non traduit en français) et dans *Pourquoi on grossit ?*. Selon lui, ce sont les glucides qui sont à l'origine du surpoids des maladies cardiovasculaires, du diabète et d'autres maladies chroniques. Ils élèvent notre taux d'insuline ce qui a pour conséquence de provoquer une accumulation de graisses dans nos tissus. Ce phénomène, depuis sa mise en évidence, n'a jamais suscité de controverse. Or notre taux d'insuline est déterminé en très grande partie par les glucides que nous consommons. Plus nous mangeons de glu-

---

3 Gary Taubes : *Good Calories, Bad Calories*, Knopf, 2007.
Gary Taubes : *Pourquoi on grossit*, Thierry Souccar Éditions, 2015.

cides, plus ces glucides sont faciles à digérer et plus notre glycémie monte en flèche. Notre pancréas décharge alors de l'insuline dans le sang et nos cellules graisseuses se gorgent de graisse. L'obésité résulte en fin de compte, non pas d'un déséquilibre calorique mais d'un déséquilibre hormonal, et plus spécifiquement de la stimulation de la sécrétion d'insuline causée par l'absorption d'aliments glucidiques. Toutes les sources de glucides, sans exception, qu'elles aient un IG bas ou IG haut, ont un impact sur la sécrétion d'insuline, y compris le sucre du lait (le lactose), le sucre des fruits (le fructose), celui des légumes, celui des céréales complètes... Il convient donc de surveiller de manière globale la consommation de tous les sucres. Cependant les aliments glucidiques qui ont la plus grande faculté à favoriser la sécrétion d'insuline sont ceux qui sont très fortement concentrés en glucides et pauvres en fibres :

• le sucre (sucre blanc, roux, complet...) et les produits sucrés (confitures, sodas, boissons fruitées...),
• les céréales surtout raffinées et les produits dérivés,
• certains féculents comme les pommes de terre.

Ces glucides sont donc à exclure. Les autres sources de glucides doivent quant à elles, être limitées.

Adopter ces deux règles permet non seulement de maigrir, mais surtout de le faire durablement, avec plaisir (car cette diète laisse la part belle aux produits qui manquent tant pendant un régime : fromage, charcuterie, plats en sauce) et point d'orgue, de préserver son capital santé.

... pour se soigner

Les glucides favorisent le vieillissement cellulaire prématuré, entretiennent et encouragent les états inflammatoires chroniques à l'œuvre dans plusieurs pathologies comme le cancer, Alzheimer notamment. Ils élèvent le taux de triglycérides, de cholestérol, la tension artérielle. Ils augmentent le risque de maladies cardiovasculaires (souvent associées et consécutives par ailleurs au surpoids et à l'obésité mais pas toujours). Ils altèrent aussi la flore intestinale ce qui affaiblit les défenses immunitaires.

■ TEST : L'ALIMENTATION *LOW-CARB* EST-ELLE FAITE POUR VOUS ?

Je suis intimement convaincue que nous avons tous intérêt à surveiller la part de glucides de notre alimentation. Cependant, pour certaines personnes, c'est particulièrement indiqué. Je vous invite à faire le test suivant pour le savoir.

• Votre alimentation est-elle très riche en glucides ☐
(féculents, céréales, sucre, fruits, produits laitiers…) ?
• Vous êtes accro au sucre et au grignotage ? ☐
• Vous avez du ventre ou des poignées d'amour ? ☐
• Vous avez testé des régimes minceur hyperprotéinés ☐
ou hypocaloriques sans résultat sur le long terme ?
• Vous avez des baisses d'énergie après le repas ? ☐
• Votre analyse de sang fait apparaître un taux de ☐
triglycérides ou de cholestérol élevé ou une glycémie
élevée ?
• Vous avez dans votre famille des antécédents de ☐
diabète, d'Alzheimer, d'AVC, de maladies cardio-
vasculaires, de cancer ?
• Vous souffrez de l'une de ces maladies ? ☐

Toute réponse positive à l'une de ces questions doit vous amener à envisager une alimentation contrôlée en sucres. Dans ce cas, ce livre vous est INDISPENSABLE.

Une *simple* diminution de sa consommation de sucres est déjà en soi bénéfique pour la santé. Une réduction *drastique* des glucides en incitant le corps à « carburer » aux lipides (régime cétogène) amène des bénéfices encore plus grands. On peut même parler de *traitement* dans ce cas. C'est d'ailleurs pour ses effets thérapeutiques que le régime cétogène, très pauvre en glucides et très riche en lipides, a été mis au point dans les années 20. À l'époque, c'était le seul traitement dont on disposait pour soigner l'épilepsie (lire encadré page suivante). Aujourd'hui cette diète connaît un regain d'intérêt de la part des médecins et des chercheurs en raison de son potentiel thérapeutique dans d'autres maladies pour lesquelles des traitements ciblés n'ont pas encore vu le jour.

C'est le cas notamment des maladies neurodégénératives telles que la maladie d'Alzheimer ou Parkinson. Si vous souhaitez comprendre pourquoi et comment le régime cétogène agit dans ces maladies, je vous invite à lire le livre du Dr Michèle Serrand[4], *Maladie d'Alzheimer, Et s'il y avait un traitement* ? Lors d'études menées chez l'animal, ce mode d'alimentation a freiné l'évolution de la maladie d'Alzheimer. Chez l'homme, deux premières études ont montré une amélioration des capacités cognitives.

On s'intéresse également aux bénéfices de la diète cétogène dans le cadre du cancer, en accompagnement des traitements oncologiques classiques (chirurgie, chimiothérapie, radiothérapie). Le régime cétogène prive les cellules cancéreuses du seul carburant qu'elles sont en mesure d'utiliser (le glucose) sans pour autant « couper les vivres » aux cellules saines. En effet, ces dernières sont capables d'utiliser un carburant alternatif : les cétones. En somme le régime cétogène nourrit, et renforce les cellules saines de l'organisme tandis qu'il affame et affaiblit, les cellules malignes. Les études menées chez l'animal ont montré que le régime cétogène freine la croissance et la prolifération

---

4 Dr Michèle Serrand : *Maladie d'Alzheimer – Et s'il y avait un traitement* ? Éditions Thierry Souccar, 2014.

des tumeurs. De plus, les cétones semblent agir comme des médicaments anti-inflammatoires ; elles renforcent l'efficacité de la chimiothérapie et de la radiothérapie, tout en atténuant leurs effets secondaires. Des résultats encourageants chez l'homme ont été obtenus. D'autres études sont en cours[5].

■ **LE RÉGIME CÉTOGÈNE SOIGNE L'ÉPILEPSIE DEPUIS 100 ANS**

Pendant des centaines d'années, on a traité empiriquement l'épilepsie par le jeûne, avec d'excellents résultats. Mais ce régime ne pouvait pas être supporté longtemps car il entravait la croissance des enfants. En 1921, un médecin de la clinique Mayo, le Dr Russell Wilder a mis au point un régime alimentaire qui pouvait être suivi au long cours et qui mimait les effets biochimiques du jeûne. Le régime dit « cétogène » était né. Ce régime a été le traitement de référence des crises d'épilepsies jusqu'à l'arrivée des médicaments dans les années 50. Actuellement, en France notamment, des services de neuropédiatrie l'utilisent à nouveau. Il est proposé aux enfants qui ne sont pas soulagés par les médicaments.

3 - Définitions : glucides, glucides assimilables et non assimilables

Les glucides sont des nutriments énergétiques pour l'organisme. Dans le cadre d'une alimentation normale, sans régime particulier, ils constituent le carburant principal de l'organisme. Cependant, ils ne sont pas indispensables contrairement aux protéines et aux lipides. En absence de glucides, le corps peut subvenir à tous ses besoins avec seulement des lipides et des protéines à sa disposition.

---

5 Pour plus d'information, je vous recommande la lecture du livre du Pr Ulrike Kämmerer, *Le régime cétogène contre le cancer* (Thierry Souccar Éditions, 2014).

La famille des glucides est une grande famille. Communément appelés sucres, les glucides sont composés d'hydrogène, de carbone et d'oxygène c'est pourquoi on les appelle également hydrates de carbone, *carbohydrates* en anglais.

Les glucides sont des chaînes plus ou moins longues de particules élémentaires (oses) et on peut les classer en glucides simples et glucides complexes selon la longueur de la chaîne.

• Entrent dans la classe des glucides *simples* : le glucose, le fructose, le galactose, le lactose, le saccharose, le maltose.
• Entrent dans la classe des glucides *complexes* : les amidons et les fibres.

LES GLUCIDES NON ASSIMILABLES

Les glucides que l'on ne peut pas digérer et assimiler sont **les fibres**. Les fibres n'ont aucune influence sur la glycémie et sont bénéfiques pour la santé. Elles ne sont donc pas comptabilisées dans le compteur de glucides. On les trouve dans les végétaux, surtout les légumes, les fruits, les produits céréaliers complets. Dans le cadre d'une alimentation *low-carb*, vos meilleures sources de fibres seront les légumes verts à feuille car ils apportent parallèlement moins de glucides assimilables que les légumineuses, les céréales et leurs produits dérivés (toute la famille des féculents), les fruits ou certains autres légumes.

LES GLUCIDES ASSIMILABLES

Ils influent directement sur le taux de sucre sanguin donc sur la sécrétion d'insuline qui favorise la mise en réserve des graisses (plus ou moins selon leur teneur en fibres) et qui aussi, oriente le choix du carburant de l'organisme. En présence de glucides, l'organisme s'approvisionne en énergie prioritairement à partir des glucides et non des lipides. On trouve des glucides assimilables dans la très grande majorité des groupes d'aliments.

Glucides simples

• **Le glucose** et **le fructose** se trouvent dans les fruits, les baies, les légumes, le miel et les sirops industriels de glucose-fructose.

• **Le saccharose** se trouve dans le sucre de table. Il est composé d'une molécule de glucose liée à une molécule de fructose. Chimiquement il a la même composition que le sirop de glucose-fructose à la différence que dans le sirop, glucose et fructose sont sous forme libre (ils ne sont pas liés). On trouve du saccharose naturellement dans la betterave sucrière, la canne à sucre et les fruits.

• **Le lactose** est composé de glucose et de galactose. C'est le sucre du lait et des produits laitiers.

• **Le maltose** (deux molécules de glucose liées) est quant à lui présent dans le malt et les sirops dérivés d'amidon.

• **Les polyols** aussi appelés sucres-alcools. On les trouve à l'état naturel mais la plupart sont fabriqués et utilisés comme édulcorants et agents de charge. Ils ne contiennent pas de sucre, pas de calories et ont peu d'impact sur la glycémie, cependant ils apportent **autant de glucides que le sucre (et à ce titre peuvent compromettre la cétose)**. Le sorbitol est le polyol le plus courant. Le xylitol est fréquemment utilisé comme édulcorant dans les chewing-gums et certains bonbons à la menthe. L'isomalt est un autre polyol utilisé dans la fabrication de friandises. Il est produit à partir de saccharose. Les polyols sont doux et peuvent être utilisés dans les aliments de façon similaire aux autres sucres bien qu'ils puissent avoir un effet laxatif lorsqu'ils sont consommés en trop grande quantité.

Glucides complexes

L'amidon est constitué d'amylose et d'amylopectine (toutes deux sont de très longues chaînes de glucose). L'amidon est une forme de réserve d'énergie des céréales et des légumineuses.

Si vous décidez d'adopter une alimentation *low-carb*, le but n'est pas de choisir telle ou telle source de glucides (sauf si vous optez pour le régime IG) mais plutôt de ne pas dépasser une quantité totale de glucides par jour. Il ne s'agit pas d'éviter absolument toutes les familles d'aliments glucidiques mais simplement d'apprendre à sélectionner, au sein de chaque famille, les aliments qui contiennent le moins de glucides.

4 - Quelle quantité de glucides s'autoriser, quel type de glucides privilégier ?

Tout dépend du régime que vous suivez.

• **Dans le cadre d'une alimentation *low-carb* pour perdre du poids**, rien ne sert d'aller trop vite. Mieux vaut y aller par pallier, en vous fixant des objectifs à atteindre. Inutile d'être trop strict non plus. En voulant supprimer tous les glucides, vous aurez un régime monotone, avec lequel vous seriez vite carencé. À terme vous vous situerez entre 15 et 100 g de glucides par jour. À chacun de déterminer la quantité de glucides que son organisme tolère sans prendre du poids. Dans les phases pauvres en glucides des régimes hypocaloriques ou hyperprotéinés, en règle générale, ce sont surtout les féculents et les fruits qui sont supprimés.

• **Dans le cadre du régime Atkins ou du régime cétogène**, la part de glucides est finement calculée.
- **Si vous optez pour le régime Atkins**, sachez que **c'est un régime en 4 phases dont la première phase exige de limiter la consommation de glucides à 20 g par jour** dont obligatoirement 12 à 15 g de glucides provenant de légumes. Tous les aliments qui contiennent du sucre et/ou de l'amidon sous quelque forme que ce soit, sont exclus. La seconde phase permet d'augmenter cette ration glucidique par palier de 5 g jusqu'à trouver

l'équilibre c'est-à-dire tant que la consommation de glucides ne freine pas la perte de poids. À 5 kg du poids visé, la ration peut être augmentée par pallier de 10 g et est plus souple dans le choix des sources de glucides. Le but, trouver la « dose » journalière de glucides qui vous convient pour maintenir votre poids et ne pas vous faire grossir. Elle vous est propre. Certains d'entre vous ne devront pas dépasser 50 g de glucides par jour tandis que d'autres pourront aller au-delà. Une fois cette « dose » déterminée, vous êtes dans la phase 4, votre nouvelle alimentation à vie[6].

- **Si vous optez pour la diète cétogène,** le mieux reste de se faire accompagner par un médecin et un diététicien, tout du moins au début du régime. Ils vous aideront à déterminer votre ration énergétique journalière. Ils vous apprendront à augmenter suffisamment votre part de lipides, à diminuer votre part de glucides jusqu'à atteindre l'état de cétose, tout en conservant une part suffisante de protéines afin de préserver votre masse musculaire. En règle générale, il s'agit de ne pas dépasser 50 g de glucides par jour (variable d'une personne à l'autre – certains devront se contenter de 15 g de glucides par jour pour être en cétose) et de respecter un ratio de 4 pour 1 (4 : 1) c'est-à-dire 4 g de gras pour 1 g de non-gras (protéines + glucides). Sachez toutefois que pour bon nombre d'entre nous, le régime fonctionne très bien avec un ratio 3 : 1 c'est-à-dire 3 g de gras pour 1 g de non-gras. Le compteur de glucides vous aidera à quantifier tout cela. Sachez aussi qu'un livre de recettes cétogènes peut vous être utile et vous servir de repère[7,8]. Les recettes ont le ratio idéal

---

6 Pour plus d'informations, je vous invite à lire *Le Nouveau Régime Atkins* des docteurs Eric Westmann, Stephen Phinney et Jeff Volek (Thierry Souccar Éditions, 2011).

7 Magali Walkowicz : *Céto cuisine*, Thierry Souccar Éditions, 2015.

8 Karine Affaton, Soline Roy, Christine Sazy-Hercent : *Petits plaisirs cétogènes*, John Libbey Eurotext, 2010.

pour être en cétose et s'accompagnent de conseils pour gérer un quotidien cétogène. Le but consiste à piocher dans toutes les familles d'aliments jusqu'à atteindre votre ration de glucides, à l'exception des céréales et féculents et des produits sucrés. Cela vous permettra de bénéficier du large éventail de vitamines et minéraux.

Veillez à intégrer tous les jours des aliments pauvres en sucres et riches en potassium (car il peut y avoir un risque de carence) : avocat, légumes verts, amandes, poisson, porc…

• **Si vous suivez un régime IG**, vous devez choisir vos aliments en fonction de leur index glycémique. Toutefois deux aliments à IG bas peuvent avoir un effet sur la glycémie plus ou moins marqué selon la quantité de glucides qu'ils renferment. Opter pour celui qui en contient le moins sera un atout supplémentaire pour la perte de poids. Ce sera indispensable si vous êtes diabétique.

5 - Comment mesurer l'efficacité d'un régime pauvre en glucides

• Si vous adoptez une alimentation *low-carb* pour perdre du poids, c'est la balance ou la mesure du tour de taille qui vous indique que le régime fonctionne.

• Dans le cadre **d'une diète cétogène**, c'est l'état de cétose qui l'indique. C'est-à-dire que le corps n'utilise plus le glucose issu des glucides de l'alimentation pour fonctionner mais des graisses issus de l'alimentation ou du tissu graisseux, qu'il transforme en cétones. Si au cours des premiers jours de votre régime, vous ressentez des symptômes désagréables tels que des maux de tête, des étourdissements, un état de faiblesse, un sentiment de fatigue, une mauvaise haleine, une soif, cela indique un passage à l'état de cétose. Cependant ces symptômes disparaissent avec le temps. Le seul moyen alors de savoir si vous êtes en état de cétose consiste à doser les cétones. En dosant les cétones, vous vérifiez que le corps est bien en état de cétose, qu'il utilise bien les cétones comme source d'énergie et vous surveillez également qu'il n'y a pas d'accumulation excessive de cétones dans le corps afin de prévenir toute acidose métabolique (valable surtout pour les diabétiques).

Trois façons de le faire :
- Le prélèvement sanguin qui permet de doser la cétonémie (taux de cétones dans le sang). C'est la mesure la plus fiable mais elle nécessite une prescription médicale. Vous pouvez déterminer avec votre médecin traitant des dates de prélèvement sanguin : tous les 3 mois par exemple.
- Pour une mesure quotidienne ou hebdomadaire, les bandelettes urinaires réactives sont plus indiquées, même si la mesure est plus approximative. Certaines dosent uniquement les cétones, d'autres le sucre et les cétones : Ketostix®, Keto-Diastix®, Keto-Diabur®. Elles s'achètent en pharmacie, parapharmacie ou sur Internet. Chaque marque a son mode d'emploi et ses critères d'interprétation, mais quel que soit le produit, il est simple d'utilisation.
- Le lecteur de glycémie qui s'achète en pharmacie et qui mesure la concentration en cétones à partir d'une gouttelette de sang et de bandelettes spéciales.

Exemple de mode opératoire avec le Keto-Diastix®
- Le moment le plus pertinent pour effectuer la mesure est le début de soirée (le matin au lever, la quantité de cétones dans les urines est en général faible).
- Sortir la bandelette réactive du flacon et le reboucher immédiatement.

- Recueillir des urines fraîches dans un récipient propre et sec.
- Plonger l'extrémité de la zone de test de la bandelette dans le récipient ou la passer brièvement sous le jet d'urine.
- Résultat en 15 secondes pour les cétones, et en 30 secondes pour le glucose.
- Si l'urine analysée contient des cétones (acide acétyl acétique), la surface réactive de la bandelette change de couleur. Le nuancier imprimé sur l'emballage permet de comparer la couleur et donc de déterminer la quantité approximative de cétones présentes dans l'urine.

Interprétation
- Lorsque la quantité de cétones est <15 mg/dL, cela peut indiquer un état de cétose insuffisant. Mais ça n'est pas certain. Il est possible aussi d'être en cétose sans que cela ne soit détecté à l'analyse urinaire ; c'est le cas lorsque la mesure est faite juste après un effort physique important car les cellules ont un grand besoin d'énergie et puisent si efficacement les cétones dans le sang que les reins n'en éliminent pratiquement plus.
- 15 mg/dL (1,5 mmol/L) est la valeur approximative à cibler. Cela indique que le régime fonctionne et montre un état de cétose « idéal ». Cela montre que les cétones sont brûlées, qu'elles sont donc le carburant de l'organisme.
- Un résultat > 80 mg/dL (8 mmol/L) peut indiquer une cétose trop importante. Soit votre régime est trop sévère, soit vous êtes déshydraté. En tous les cas, il convient de consulter votre médecin. Ce cas est très rare.

6 - En pratique, comment utiliser le compteur de glucides

• Le compteur de glucides vous indique la teneur en **glucides assimilables de tous les aliments courants.**

Afin que la teneur en glucides de votre ration alimentaire soit rapidement et aisément identifiable et quantifiable…

- Les glucides sont les premiers nutriments indiqués juste après la valeur calorique de l'aliment.

- La teneur en glucides est donnée à la fois pour 100 g d'aliment solide (ou 100 ml d'aliment liquide) ainsi que pour la portion usuelle.

- Un pictogramme en bout de ligne vous permet de savoir en un clin d'œil si cet aliment est pauvre en glucides, moyennement pourvu en glucides ou riche en glucides.

○ Glucides < 5 g : l'aliment a une teneur **basse (B)** en glucides donc en sucres

◗ 5 g ≤ Glucides <10 g : l'aliment a une teneur **modérée (M)** en glucides donc en sucres

● Glucides ≥ 10 g : l'aliment a une teneur **haute (H)** en glucides donc en sucres / rond plein

- Les aliments sont classés par famille : boissons, céréales, chocolat et confiseries, fruits, légumes, légumineuses, matières grasses, pains-biscottes, pomme de terres et dérivés, produits laitiers, sauces et condiments, viandes-poissons-œufs.

- Au sein de chaque famille, les aliments sont classés par ordre alphabétique.

NB : un aliment peut être riche en glucides lorsqu'on regarde sa teneur en glucides pour 100 g mais pauvre en glucides lorsqu'on regarde la teneur de la portion habituellement consommée. **Dans le compteur de glucides, le pictogramme concerne la portion.**

• Le compteur de glucides vous indique également la teneur pour 100 g en calories, lipides et protéines. Ces informations sont importantes car adopter une alimentation *low-carb*, nécessite d'augmenter les quantités des autres macronutriments : lipides et/ou protéines.

- Dans le cadre d'une diète cétogène, vous devez impérativement veiller à avoir un apport en lipides suffisant, finement quantifié.

- Dans le cadre du régime Atkins, la part en lipides et protéines est libre. Cependant, si vous souhaitez bénéficier d'un état de cétose suffisant, veillez à avoir une part de lipides supérieure à la part de protéines.

- Dans le cadre d'un régime hyperprotéiné, dans la première phase, l'apport en glucides est limité et celui en protéines fortement augmenté. Vous devez donc veiller à avoir une part protéique suffisante.

Conseil : Faites un premier repérage des aliments que vous aimez et que vous avez l'habitude de consommer afin de connaître leur teneur en glucides. Cela vous indiquera si vous devez les supprimer de votre alimentation, simplement revoir la quantité ou bien continuer à les consommer sans problème. Procurez-vous un livre de recettes pauvres en glucides comme *Céto cuisine* par exemple (éditions Thierry Souccar). Cela vous aidera à vous familiariser avec la cuisine *low-carb*.

■ LES SOURCES DES VALEURS NUTRITIONNELLES

• Valeurs nutritives fournies par les fabricants
• Table ciqual des aliments
• Base de données des nutriments du ministère de l'agriculture des États-Unis (USDA)
• LaNutrition.fr

Les données sont exactes au moment de la publication du livre. Si les fabricants modifient leurs recettes, certaines variations peuvent apparaître.

■ **ABRÉVIATIONS ET SYMBOLES**

- g = gramme

- ml = millilitre

- u = unité

- cp = comprimé

- ○ = une portion de cet aliment apporte peu de glucides
(< 5 g)

- ◑ = une portion de cet aliment apporte une quantité modérée
de glucides (5 g ≤ Glucides < 10 g)

- ● = une portion de cet aliment apporte une quantité élevée
de glucides (≥ 10 g)

7 - Les aliments pauvres en glucides

LES VIANDES, POISSONS, ŒUFS

Ils ne contiennent pas de glucides. À l'exception du foie
et des préparations à base de viande, poisson et œufs du
commerce qui peuvent parfois en contenir (référez-vous au
compteur de glucides ou aux étiquettes des produits pour le
savoir). Les fruits de mer contiennent en moyenne 3,71 g de
glucides pour 100 g d'aliments (table ciqual), ils conviennent
donc à une alimentation *low-carb*. Vous avez droit à toutes
les viandes, tous les poissons, fruits de mer, y compris les
viandes grasses, les charcuteries, les poissons gras, les œufs.
Ils peuvent même faire d'excellents petits déjeuners et col-
lations (additionnés d'une source de gras dans le cadre du
régime cétogène).

LES MATIÈRES GRASSES

Toutes les matières grasses sont autorisées dans le cadre d'un
régime pauvre en glucides. Vous ne devez suivre en aucun cas
un régime allégé en matières grasses. Les huiles végétales et
les huiles de poisson contiennent exclusivement des lipides. Le

beurre, la margarine et la crème fraîche contiennent en revanche un peu de glucides (très peu !) mais qu'il faudra penser à comptabiliser.

LE FROMAGE
Les fromages ne contiennent généralement pas de glucides. Ils sont en revanche riches en protéines et lipides. Notez que les régimes *low-carb* leur font la part belle. Veillez tout de même à jeter un œil au tableau nutritionnel sur l'emballage des fromages industriels type Boursin afin de surveiller une éventuelle quantité de sucres ajoutés.

CERTAINES BOISSONS
L'eau, le thé, les infusions, le café sans sucre (que vous pouvez édulcorer) peuvent être consommés à volonté. Mais veillez à éviter les substituts de sucre apportant des glucides : miel, sirop d'agave, fructose, lactose, dextrine, maltose, sorbitol, mannitol… Préférez-leur en quantité très modérée l'aspartame, la saccharine, le mélange saccharine et cyclamates (l'Hermesetas® liquide par exemple), la stevia (Pure Via® et truvia®).

8 - Les aliments qui contiennent des glucides

En dehors des aliments évoqués ci-dessus, les autres familles d'aliments regroupent des aliments à teneur plus ou moins élevée en glucides. Il ne s'agit pas de tous les supprimer mais, au sein de chaque famille, de choisir les aliments les moins riches en glucides.

BOISSONS
Dans ce groupe, les sodas, les jus de fruits, certains alcools sont particulièrement sucrés. Notez que si la plupart des alcools ne font pas intervenir la sécrétion d'insuline, ils peuvent tout de même

freiner la perte de poids (le corps cesse de brûler les graisses le temps de métaboliser tout l'alcool ingéré). Dans le cadre de la diète cétogène, aucune étude n'a à ce jour étudié l'impact de l'alcool sur la cétogenèse. Attention aux boissons édulcorées également qui peuvent compromettre l'état de cétose. Il semblerait que les édulcorants massivement utilisés aient le pouvoir de se comporter comme un sucre dans l'organisme et donc d'élever la glycémie ainsi que la sécrétion d'insuline. Une des hypothèses avancées pour le justifier serait que les phénomènes chimiques impliqués dans la digestion des sucres (comme la sécrétion d'insuline) seraient activés dès lors que l'on a le goût sucré en bouche.

CHOCOLAT ET CONFISERIES

Mis à part le chocolat noir (à plus de 85 % de cacao) et les bonbons et confiseries de toute petite taille, cette famille d'aliments rassemble des aliments très riches en sucres qui sont à éviter.

FÉCULENTS : CÉRÉALES ET PRODUITS DÉRIVÉS, LÉGUMINEUSES ET PRODUITS DÉRIVÉS, POMMES DE TERRE ET PRODUITS DÉRIVÉS

C'est sans conteste l'un des groupes alimentaires à éviter. Les féculents sont très riches en glucides. Pour 100 g d'aliment, ils apportent en moyenne 75 g de glucides.

ÉPICES ET CONDIMENTS

Dans les proportions utilisées en cuisine, ils contiennent généralement très peu de glucides. Ils font partie des aliments phares de la cuisine *low-carb*. Ce qui permet de nombreuses possibilités culinaires et offre une grande palette de saveurs.

FRUITS FRAIS, SÉCHÉS, OLÉAGINEUX

Ce groupe d'aliments est à surveiller. Les fruits frais et séchés sont des sources de glucides pouvant compromettre un régime pauvre en glucides. Toutefois, une portion de 50 g de baies rouges, une prune, une petite figue de Barbarie, une carambole, les noix et graines oléagineuses, les citrons verts et jaunes, peuvent faire partie intégrante de votre nouvelle alimentation. Parmi les noix, certaines sont très pauvres en glucides comme la noix du Brésil, tandis que d'autre en contiennent un peu plus comme la noix de cajou. Vous devrez en tenir compte.

CERTAINES MATIÈRES GRASSES

La crème fraîche, la crème fleurette contiennent un peu de sucres. Cependant, notez que dans le cadre d'un régime pauvre en glucides, toutes les matières grasses sont autorisées.

LÉGUMES FRAIS, HERBES AROMATIQUES

Les légumes frais contiennent plus ou moins de glucides, c'est à vous de bien les sélectionner, les associer sur une journée, de manière à ne pas dépasser la teneur en glucides que vous vous autorisez [variable selon le régime pauvre en glucides que vous suivez (voir page 7)]. En règle générale, vous pouvez consommer des portions classiques de légumes (90 g en entrée et 120 à 150 g en accompagnement). Les herbes aromatiques, utilisées généralement en petites quantités, sont toutes autorisées. Comme les épices et autres condiments, elles font partie intégrante d'une cuisine goûteuse.

PRODUITS LAITIERS

Ils contiennent du lactose et parfois du sucre blanc ou roux (yaourts sucrés ou aromatisés). Les yaourts nature non sucrés apportent en moyenne 5 g de glucides pour 100 g de produit. Les yaourts, comme le lait, ont le pouvoir de générer des pics de glycémie et donc d'insuline. Vous pouvez choisir de consommer un yaourt nature par jour, de préférence au lait entier, et préférer le fromage au yaourt, qui lui, ne contient pas de sucre (à l'exception de certains fromages industriels emballés). Les cream-cheese type Philadelphia, le Saint-Môret, le mascarpone sont de bonnes alternatives si vous n'avez pas envie de croquer dans un fromage. Vous pouvez leur donner du goût avec de la vanille en gousse, de l'hydrolat d'oranger, une cuillère de purée d'oléagineux, un coulis de fruits rouges maison…

9 - Attention aux sucres cachés

On mange parfois du sucre sans s'en rendre compte. Le sucre ajouté est partout, même là où on ne l'attend pas.

• Dans les viandes préparées : notamment certaines farces comme le hachis, la chair à saucisse…
• Dans les charcuteries comme le jambon blanc, les filets de poulets ou de dinde grillés, les pâtés, les rillettes…
• Dans les fromages industriels type Boursin…
• Dans les préparations salées, plats cuisinés industriels comme les soupes de légumes, les gratins, les plats en sauce… Le sucre est un fabuleux exhausteur de goût pour les industriels, à la fois peu cher et addictif.
• Dans les sauces salées y compris les sauces tomates.
• Dans les produits allégés. Ils sont allégés en gras mais pas en sucre. Donc, dès qu'il s'agit de produits light, passez votre chemin.
• Les produits diététiques à teneur réduite en sucres ou sans sucres ajoutés. À titre d'exemple, la célèbre marque diététique Gayelord Hauser propose une gamme de produits appelée « Contrôle des sucres » qui compte 13 recettes. Tous ces produits sont en réalité très riches en sucres et ne doivent pas être consommés lors d'un régime *low-carb*. Ne vous fiez pas aux allégations nutritionnelles sur l'emballage, il faut toujours bien déchiffrer les étiquettes nutritionnelles (lire ci-contre *Apprenez à décoder les étiquettes au supermarché*).

• Dans les médicaments, notamment dans les compléments nutritionnels oraux y compris ceux qui sont destinés aux diabétiques et ceux prescrits pour soigner la dénutrition chez les malades d'Alzheimer et du cancer. Pourtant, nul doute aujourd'hui que réduire les apports en glucides est une stratégie diététique gagnante pour lutter efficacement contre ces maladies.

10 - Apprenez à décoder les étiquettes au supermarché

N'achetez jamais un produit alimentaire sans lire l'étiquette. Pour un même aliment, d'une marque à l'autre, la teneur en glucides peut varier. Vous devez toujours vérifier…

LA LISTE DES INGRÉDIENTS
Soyez particulièrement vigilant si vous voyez apparaître des ingrédients qui sont des sucres : sucre, sucre blanc, sucre roux, sucre de canne complet, amidon, maltodextrine, des noms en ose tels que fructose, lactose, maltose, glucose, dextrose, saccharose, sirop de glucose-fructose, sirop d'agave, sirop de riz, sirop de maïs, sirop d'érable, mélasse, jus de canne, miel ou si des fruits entrent dans la liste des ingrédients que ce soit sous la forme de fruits frais, séchés, en purée ou en jus…

LES VALEURS NUTRITIONNELLES
• **Les glucides** (la valeur représente la somme de tous les glucides assimilables)

Tous les glucides comptent et sont à surveiller. Ne vous focalisez pas seulement sur le sucre indiqué dans le tableau nutritionnel par la mention « dont sucres ». C'est la valeur totale des glucides qui est importante. Elle est systématiquement indiquée pour 100 g d'aliment solide ou 100 ml d'aliment liquide. Parfois elle est aussi indiquée pour une portion. Si ce n'est pas le cas, c'est à vous d'estimer rapidement la quantité de glucides de la part que vous avez l'habitude de consommer.

Si le résultat obtenu est :

- < 2 g, l'aliment a une très faible teneur en glucides donc en sucres

- < 5 g, l'aliment a une faible teneur en glucides donc en sucres

- ≥ 5 et < 10 g, l'aliment a une teneur moyenne en glucides donc en sucres

- ≥ 10 g alors l'aliment est riche en glucides donc en sucres

• **Les lipides seulement si vous suivez un régime cétogène**

Car vous devez alors veiller à consommer une part de lipides au moins 3 fois supérieure à celles des glucides + protéines.

• **Les protéines si vous souffrez de dénutrition ou d'une maladie catabolisante comme le cancer ou si vous suivez un régime cétogène**

Dans le premier cas afin de vous assurer que vous consommez suffisamment de protéines (environ 1 g par kg de poids corporel). Dans le deuxième cas, dans le cadre d'un régime cétogène, afin de vous assurer de ne pas consommer plus de non-lipides (protéines + glucides) que de lipides.

• **Les calories n'ont guère d'importance dans le cadre d'une alimentation *low-carb***

Ne cherchez pas à raisonner en termes de calories. Logiquement votre appétit devrait se réguler tout seul en mangeant moins sucré et plus gras (dans le cas d'un régime cétogène) ou plus gras et plus protéiné (dans le cas du régime Atkins par exemple). Apprenez à écouter plutôt vos signaux de faim et de satiété. Cela sera plus facile si vous prenez le temps de manger, en mâchant bien !

LE COMPTEUR
DE GLUCIDES

ALIMENTS	POUR 100	
	ENERGIE (kcal)	GLUCIDES (g)
BOISSONS CHAUDES/BOISSONS INFUSÉES		
Café noir, non sucré	0.2	traces
Café au lait/Café crème/ Cappuccino, sans sucre	24.5	2.74
Céréales et chicorée bio, Bjorg, poudre soluble	361	80.8
Chocolat en poudre, Lion, Nestlé	383	81.2
Chocolat en poudre, Nesquick	378	79.6
Chocolat en poudre, Van Houten	376	13.9
Thé infusé, non sucré	0.3	traces
Thé matcha, poudre soluble	324	38.5
Tisane infusée, non sucrée	0	traces
Ricoré Bonjour, Nestlé	424	51.2
JUS DE FRUITS, DE LÉGUMES & BOISSONS FRUITÉES		
Abricot, nectar	57.6	12.9
Boisson pêche abricot, U, boisson fruitée à base de concentré	41	9.8
Cocktail de fruits P'tite boisson, Nestlé, pur jus	44	10.4
Cramberry Classic, Ocean Spray, à base de concentré	45	10.5
Cramberry Classic Light, Ocean Spray, à base de concentré	10	1.7
Doux California, Sunny Delight, boisson fruitée	34	8
Jus d'ananas, Pago, à base de concentré	50	11.1
Jus de betterave rouge Bio, Bjorg, pur jus	31	7

grammes		PORTION COURANTE		
LIPIDES (g)	PROTÉINES (g)	QUANTITÉ	GLUCIDES (g)	BAS/ MOD./ HAUT
0	0.05	100 ml	traces	○
0.76	1.68	125 ml	3.43	○
0	5.6	18 g	14.54	●
3.1	4.2	15 g	12.18	●
3	5	15 g	11.94	●
21	18.4	15 g	2.08	○
0	0.08	125 ml	traces	○
5.3	30.6	1 g	0.39	○
0	0	125 ml	traces	○
16	14.5	18 g	9.22	◑
0.09	0.41	125 ml	16.13	●
<0.1	0.2	125 ml	12.25	●
0	0.3	125 ml	13	●
0	0	125 ml	13.13	●
0	0	125 ml	2.13	○
0	0	125 ml	10	●
0.1	0.5	125 ml	13.9	●
0.1	0.5	125 ml	8.75	◑

ALIMENTS	POUR 100	
	ENERGIE (kcal)	GLUCIDES (g)
Jus de carotte Bio, Bjorg, pur jus	33	7.5
Jus de pamplemousse rose, Andros, pur jus	43	10
Jus de pomme, Paquito, pur jus	43	10.8
Jus de pomme Bio, Monoprix, pur jus	44	11
Jus de raisin, Jocker, pur jus	65.6	15
Jus de tomate, Tropicana, pur jus	17	3.2
Jus d'orange, Carrefour, pur jus	44	10
Jus d'orange Pure Premium, Tropicana, pur jus	48	10
Le Nectar d'orange, Réa, nectar	38	8.9
Mangue Passion, Innocent, pur jus	57	12.5
Nectar de jus de pomme bio, Pressade, nectar	46	10.9
Orange, Capri Sun, boisson fruitée	41	10
Poire, nectar	62.5	14.8
Pur jus multifruit, Joker, pur jus	46	10.4
Smoothie fraises & bananes, Innocent, pur jus	54	11.9
Tropical, Oasis, boisson fruitée	38	9.3
Volvic, eau aromatisée fraise	14	3.5
SIROPS		
Pulco agrumes	161	35.9
Pulco citron	23	1.6
Pulco citron vert	22	1
Pulco grenadine	172	40.8
Sirop d'agrumes, carrefour	305	76.3

LIPIDES (g)	PROTÉINES (g)	PORTION COURANTE QUANTITÉ	GLUCIDES (g)	BAS/ MOD./ HAUT
0	0.6	125 ml	9.38	◐
0.1	0.5	125 ml	12.5	●
0.3	<0.1	125 ml	13.5	●
0	0.1	125 ml	13.75	●
0.4	0.6	125 ml	18.75	●
0	0.7	125 ml	4	○
0.1	0.7	125 ml	12.5	●
0	0.8	125 ml	12.5	●
0.1	0.2	125 ml	11.13	●
0.2	0.6	125 ml	15.63	●
traces	0.6	125 ml	13.63	●
<0.1	<0.1	125 ml	12.5	●
0.04	0.14	125 ml	18.5	●
0.3	0.5	125 ml	13	●
0.2	0.6	125 ml	14.88	●
0	0	125 ml	11.63	●
0	0	125 ml	4.38	○
0.2	0.5	18 ml	6.46	◐
0	0.2	18 ml	0.29	○
0	0.2	18 ml	0.18	○
0.1	0.2	18 ml	7.34	◐
0	0	18 ml	13.73	●

ALIMENTS	POUR 100	
	ENERGIE (kcal)	GLUCIDES (g)
Sirop de citron, Sicilia	22	1.5
Sirop de grenadine, Moulin de Valdonne	332	83
Sirop de menthe, Fruiss	278	69.4
Sirop de menthe, Eco +	295	73.6
Sirop de pomme, Teisseire	318	79.5
Sirop Fruit Shoot Tropical Teisseire	344	86
Sirop Iced Tea pêche, Teisseire	296	74
Sirop Teisseire Stevia	3	0.3
Sirop Tropical, Pulco	201	45.8
SODAS		
Brut de pomme	32	7.5
Champomy pomme	46	11.5
Coca-Cola	42	10.6
Coca-Cola Light	0	0
Coca-Cola Zéro	0.3	0
Coca-Cola Zéro Cherry	0	0
Energy drink Red Bull	45	11
Fanta Orange	39	9.6
Fanta Still Tropical	25.5	6.1
Gini	48	11
Ice Tea Pêche Lipton	30	7.1
Limonade Lorina	32	7.5
Monster Energy	48	12
Orangina (standard)	42	10.2
Pepsi	42	10.4

| grammes | | PORTION COURANTE | | |
LIPIDES (g)	PROTÉINES (g)	QUANTITÉ	GLUCIDES (g)	BAS/ MOD./ HAUT
0.1	0.2	18 ml	0.27	○
<0.1	<0.1	18 ml	14.94	●
traces	traces	18 ml	12.49	●
<0.1	<0.1	18 ml	13.25	●
<0.1	<0.1	18 ml	14.31	●
<0.1	<0.1	18 ml	15.48	●
<0.1	<0.1	18 ml	13.32	●
0.1	0.1	18 ml	0.05	○
0.1	0.6	18 ml	8.24	◐
0	0	125 ml	9.38	◐
0	0	125 ml	14.38	●
0	0	125 ml	13.25	●
0	0	125 ml	0	○
0	0	125 ml	0	○
0	0	125 ml	0	○
0	0	125 ml	13.75	●
0	0	125 ml	7.63	◐
0	0	125 ml	7.63	◐
0	0	125 ml	13.75	●
0	0	125 ml	8.88	◐
0	traces	125 ml	9.38	◐
0	0	125 ml	15	●
0	0.1	125 ml	12.75	●
0	0	125 ml	13	●

ALIMENTS	POUR 100	
	ENERGIE (kcal)	GLUCIDES (g)
Ricqulès	28	7
Schweppes Agrum	28	6.6
Schweppes Lemon	26	6.2
Seven-Up	42	10.4
Sprite	27.7	6.6
Tonic Schweppes	36	8.7
LAITS, BOISSONS LACTÉES ET SUBSTITUTS DE BOISSONS LACTÉES		
Boisson de riz Bio, Bjorg	55	11
Boisson gourmande amandes-noisettes Bio, Bjorg	55	7
Boisson gourmande choco-noisettes Bio, Bjorg	98	14
Candy'up chocolat, Candia	62	10.7
Danao pêche abricot	50	11
Lactel Max chocolat, Lactel	65	11.8
Lait concentré non sucré, Régilait, conserve	553	10.10
Lait d'amande bio sans sucre ajouté, Bjorg	28	1.9
Lait de coco stérilisé UHT, Tables du monde, Marque Règère	167	2
Lait fermenté à boire LK, Auchan	69	10.5
Lait sans lactose UHT, demi-écrémé, Minus L	47	4.9
Lait sans lactose UHT, écrémé, Minus L	67	4.8
Lait standard UHT demi-écrémé	46.3	4.83
Lait standard UHT écrémé	31.8	4.32

LIPIDES (g)	PROTÉINES (g)	QUANTITÉ	GLUCIDES (g)	BAS/ MOD./ HAUT
0	0	125 ml	8.75	◑
0	0	125 ml	8.25	◑
0	0	125 ml	7.75	◑
0	0	125 ml	13	●
0	0	125 ml	8.25	◑
0	0	125 ml	10.88	●
1	0.2	125 ml	13.75	●
2.5	0.8	125 ml	8.75	◑
4.2	0.9	125 ml	17.5	●
1	2.4	125 ml	13.38	●
0	0.7	150 ml	16.5	●
1	2	125 ml	14.75	●
7.50	6.10	160 ml	17.17	●
1.9	0.7	125 ml	2.38	○
17	1.6	125 ml	2.5	○
1.6	3.1	125 ml	13.13	●
1.5	3.4	125 ml	6.13	◑
3.8	3.3	125 ml	6	◑
1.53	3.3	125 ml	6.04	◑
0.15	3.28	125 ml	5.4	◑

Header: grammes | PORTION COURANTE

ALIMENTS	POUR 100	
	ENERGIE (kcal)	GLUCIDES (g)
Lait standard UHT entier	64.9	4.67
Lait stérilisé U.H.T. Demi-écrémé, Vallée du Lot, Bleu Blanc Cœur	46	4.80
ALCOOLS ET LIQUEURS		
Bière(>8°C alcool)	62	4.6
Champagne	84	2.72
Bière sans alcool Buckler	27.2	2.16
Eau de vie	237	0.79
Liqueur	196	24.8
Martini blanc	160	14
Muscat	160	14
Pastis	274	2.81
Rhum	242	0
Vin de table blanc	83	2.58
Vin de table rouge	85	2.59
Vin rosé	71	4.12
Vin rosé pamplemousse 7-8 °, boisson aromatisée à base de vin rosé (50 %)	74	3
Vodka	239	0
Whisky	238	0

| grammes | | PORTION COURANTE | | |
LIPIDES (g)	PROTÉINES (g)	QUANTITÉ	GLUCIDES (g)	BAS/ MOD./ HAUT
3.71	3.2	125 ml	5.84	◗
1.55	3.20	125 ml	6	◗
0	0.4	250 ml	11.5	●
0	0.07	100 ml	2.72	○
0	0	250 ml	5.41	◗
0	0	30 ml	0.24	○
0	0	30 ml	7.44	◗
0	0	50 ml	7	◗
0	0	50 ml	7	◗
0	0	40 ml	1.12	○
0	0	40 ml	0	○
0	0.07	50 ml	1.29	○
0	0.07	50 ml	1.3	○
0	0.24	50 ml	2.06	○
0	0	50 ml	1.5	○
0	0	40 ml	0	○
0	0	40 ml	0	○

ALIMENTS	POUR 100	
	ENERGIE (kcal)	GLUCIDES (g)
BARRES DE CÉRÉALES		
Barre Pause chocolat aux éclats de noisettes, Gayelord Hauser	408	47.7
Barre saveur chocolats noir & blanc, Gerlinéa	411	48.1
Barre Soja Croquant Chocolat Bio, Bjorg	485	38
Coco pop's, Kellogg's	415	72
Crisp & cereal pommes cannelle, Wasa	419	56.9
Frosties, Kellogg's	414	72
Grany 5 céréales et noisettes, LU	470	60
Grany 5 céréales et pommes, LU	425	71
Grany cœur fondant, LU	375	60
Grany moelleux fruits des bois, LU	400	61
Noix du Brésil, raisins, amandes, Eat Natural	469	40.5
CÉRÉALES DU PETIT DÉJEUNER		
All-Bran Fibre Plus, Kellogg's	334	48
All-Bran Fibre Pépites Chocolat, Kellogg's	493	60
Boul'o miel Céréal, BioKid	375	83.2
Céréales muesli aux fruits, Gerblé	362	58.1
Chocapic, Nestlé	389	75.8
Coco Pops, riz soufflé au chocolat, Kellogg's	387	85
Corn flakes, Kellogg's	378	84
Country Crisp chocolat noir 70 %, Jordans	467	62.2
Country Crisp riche en noix, Jordans	492	59.8

grammes		PORTION COURANTE		
LIPIDES (g)	PROTÉINES (g)	QUANTITÉ	GLUCIDES (g)	BAS/MOD./HAUT
14.7	20.6	25 g	11.9	●
13.6	22.5	31 g	14.9	●
25.5	21.5	25 g	9.5	◐
11	7	20 g	14.4	●
15	7.8	21 g	11.8	●
11	7	25 g	18	●
22	6.5	21 g	12.5	●
12	4.5	21 g	14.8	●
22	7.4	20 g	12	●
14	6.2	32 g	19.5	●
28.7	12.1	50 g	20.2	●
3.5	14	30 g	14.4	●
24	7	30 g	18	●
1.1	6.3	30 g	25	●
7	11	30 g	17.4	●
4.5	8.1	30 g	22.7	●
2.5	5	30 g	25.5	●
0.9	7	30 g	25.2	●
19.1	8	30 g	18.6	●
22.7	8.7	30 g	17.9	●

ALIMENTS	POUR 100	
	ENERGIE (kcal)	GLUCIDES (g)
Country Store, muesli, Kellogg's	363	58
Fitness chocolat noir, Nestlé	397	72.3
Flocons d'avoine	370	60.7
Flocons 5 céréales, complets, Terres et céréales bio	312	72.9
Fruits rouges Stylesse, Carrefour	370	76.1
Life Quaker au chocolat	435	66
Lion caramel et chocolat, Nestlé	412	76
Miel Pops, Kellogg's	383	88
Muesli chocolat noir et graines de lin, Jardin biologique, Léa NATURE	433	55.6
Muesli croustillant au chocolat, aux 3 céréales avoine, blé, riz, Terres et céréales bio	428	63.8
Muesli superfruits Bio, Bjorg	350	60.7
Muesli quinoa-chocolat, Carrefour bio	436	65
Pétales de blé avec noix, noisettes ou amandes, enrichis en vitamines et minéraux	389	67.3
Rice Krispies, riz soufflé nature, Kellogg's	387	86.3
Smacks, Kellogg's	382	83
Special K nature, Kellogg's	395	77
Trésor chocolat au lait, Kellogg's	450	67
Trésor Duo choco, Kellogg's	440	69
Weetabix Minis Choco	389	70.6
Son de blé, Terres et céréales bio	149	62.7

grammes		PORTION COURANTE		
LIPIDES (g)	PROTÉINES (g)	QUANTITÉ	GLUCIDES (g)	BAS/ MOD./ HAUT
5	9	30 g	24.4	●
6.9	8	30 g	21.7	●
8.7	9	30 g	18.2	●
3.4	9.1	30 g	21.9	●
1.2	12	30 g	22.8	●
13	8	30 g	19.8	●
7.6	7.3	30 g	22.8	●
1	5	30 g	26.4	●
16.3	11	30 g	16.7	●
14	7.7	30 g	19.1	●
5.5	10	30 g	18.2	●
14	9.1	30 g	19.5	●
6.7	10.4	30 g	20.1	●
1.2	6.7	30 g	25.9	●
1.5	6	30 g	24.9	●
5	8	30 g	23.1	●
16	8	30 g	20.1	●
14	8	30 g	20.7	●
5.3	9.8	30 g	21.2	●
4.6	12.8	30 g	18.8	●

CÉRÉALES ET PRODUITS DÉRIVÉS

ALIMENTS	POUR 100	
	ENERGIE (kcal)	GLUCIDES (g)
CÉRÉALES ET PÂTES		
Blé, cuit, Ebly	81	16.6
Blé, épeautre & blé de Kamut, Céréal Bio, Doypack	160	28.1
Boulgour, cuit	83	18.6
Farine de blé type 55, Carrefour Discount	338	72
Farine de blé semi-complète T80, Jardin Bio	339	67.2
Farine de blé semi-complète T110, Bio, Mon Fournil	344	68
Farine de blé complète, Francine	342	65
Farine de sarrasin	347	70.5
Farine de seigle T130	335	65.9
Gohan, riz de konjac, Japanese secrets by Gerlinéa	10	1.4
Kishimen, tagliatelles de konjac, Japanese secrets by Gerlinéa	10	1.4
Maïs doux en conserve	87	15.3
Pâtes blanches, Farfalle, Barilla	356	72.2
Pâtes complètes, Carrefour	360	70
Polenta ou semoule de maïs, cuite	61.8	13.2
Quinoa, cuit	143	26.3
Semoule de blé dur, cuite	169	35.7
Shirataki, pâtes de konjac, Japanese secrets by Gerlinéa	10	1.4
Riz blanc, cuit	134	28.7
Riz complet, cuit	155	31.7

grammes		PORTION COURANTE		
LIPIDES (g)	PROTÉINES (g)	QUANTITÉ	GLUCIDES (g)	BAS/ MOD./ HAUT
0.3	2.8	150 g	24.9	●
2.6	6	110 g	30.9	●
0.2	3.1	150 g	27.9	●
1.1	10	50 g	36	●
0.8	11.4	50 g	33.6	●
1.8	12	50 g	39	●
1.8	12.4	50 g	32.5	●
2.2	9.1	50 g	35.2	●
1.3	9.8	50 g	32.9	●
0,00	0	150 g	2.1	○
0,00	0	150 g	2.1	○
1.3	4	90 g	13.8	●
1.5	12	50 g	36.1	●
2,00	12.5	50 g	35	●
0.3	1.4	100 g	13.2	●
2.22	5	150 g	39.5	●
0.77	4.2	150 g	53.5	●
0,00	0	150 g	2.1	○
0.9	2.5	150 g	43	●
1.1	3.5	150 g	47.5	●

CÉRÉALES ET PRODUITS DÉRIVÉS

ALIMENTS	POUR 100	
	ENERGIE (kcal)	GLUCIDES (g)
Riz Nerone, Priméal	347	68.8
Riz rouge, cuit	141	28.2
Riz sauvage cuit	199	40.3
Riz violet Thaï	460	75.5
Vermicelles de riz, cuits	238	52.2
Vermicelles de soja, cuits	60.7	14.5
PLATS CUISINÉS À BASE DE CÉRÉALES		
Boulghour poulet-citron, Bjorg, épicerie salée	166	25
Cannelloni à la viande	154	15.5
Couscous à la viande	152	17.2
Crêpes au fromage, Carrefour, surgelé	152	17.3
Crêpes Dessaint traiteur sans sucres ajoutés, rayon frais	201	23
Crêpes jambon-fromage, Marie, surgelé	176	20
Demi-lune aubergines, Lustucru, pâtes fraîches	230	35
Fusilli aux fromages, Pastabox Sodeb'O, pâtes fraîches	172	17.8
Galettes aux Saint Jacques, Tipiak, surgelé	165	16
Gratin de macaroni, Carrefour, surgelé	131	16.4
Hot Pockets jambon, Maggi, surgelé	301	30.4
Lasagne bolognaise, Auchan, surgelé	107	10.7
Original Bun's kebab, McCain, surgelé	253	25
Penne à la Carbonara, PastaBox, Sodeb'O, pâtes fraîches	190	20

grammes		PORTION COURANTE		
LIPIDES (g)	PROTÉINES (g)	QUANTITÉ	GLUCIDES (g)	BAS/ MOD./ HAUT
2.8	9.6	50 g	34.4	●
0.69	3.4	150 g	42.3	●
0.58	6.5	150 g	60.4	●
1.3	6.8	50 g	37.7	●
0.73	4.8	150 g	78.3	●
0.1	<0.09	150 g	21.7	●
5.2	7	220 g	55	●
5.73	9.5	250 g	38.7	●
5.78	6.7	250 g	43	●
6.6	5.8	50 g	8.6	◗
8.6	6.3	50 g	11.5	◖
7.7	6.1	50 g	10	●
6.3	8.1	125 g	43.7	●
7.6	7.5	300 g	53.4	●
8.1	6.4	125 g	20	●
4.9	5.2	200 g	32.8	●
15.4	9.5	125 g	38	●
4.1	6.9	300 g	32.1	●
13	8	100 g	25	●
9	8	300 g	60	●

CÉRÉALES ET PRODUITS DÉRIVÉS

ALIMENTS	POUR 100	
	ENERGIE (kcal)	GLUCIDES (g)
Penne jambon-boursin, Fleury Michon, pâtes fraîches	190	19.1
Paëlla	169	22.4
Pizza 3 fromages, Picard, surgelé	264	26.1
Pizza 4 stagioni, Carrefour, surgelé	181	26
Quinoa tomates, olives, Bjorg	183	28.2
Raviolis au jambon, Carrefour, pâtes fraîches	223	34.6
Risotto au safran, Riso Gallo, Doypack	224	43
Riz à l'indienne Taureau Ailé, Doypack	158	27
Riz façon Paëlla Uncle Ben's, Doypack	167	26.9
Riz, quinoa, courgettes, Lustucru, Doypack	155	34
Riz tomate et huile d'olive, Uncle Ben's, Doypack	187	30.4
Tarte au saumon, Marie, surgelé	230	21.3
Tarte façon tartiflette, Claude Léger, surgelé	228	24.5
Tarte flambée, Reflets de France, surgelé	238	22
Tortellini aux 4 fromages, Lunch box, Lustucru, pâtes fraîches	170	20
Tortellini jambon cru, Auchan, pâtes fraîches	334	41.7
Tortellini ricotta & épinards, Giovanni Rana, pâtes fraîches	272	34.6
Tortellini ricotta-épinards, Casino, pâtes fraîches	26"	45

| grammes | | PORTION COURANTE | | |
LIPIDES (g)	PROTÉINES (g)	QUANTITÉ	GLUCIDES (g)	BAS/ MOD./ HAUT
9.8	5.7	300 g	57.3	●
4.6	8.8	220 g	49.3	●
12	11.6	200 g	52.2	●
4.8	8.5	205 g	53.3	●
5.4	5.3	125 g	35.2	●
3.5	12.2	150 g	51.9	●
4	4	125 g	53.7	●
2.4	6.1	200 g	54	●
4.3	5.3	125 g	32.6	●
0.7	3.1	125 g	42.5	●
5.6	3.7	125 g	38	●
12.7	7.7	100 g	21.3	●
12.2	5	100 g	24.5	●
14	6	130 g	28.6	●
6.8	5.9	300 g	60	●
6.6	12.7	150 g	62.5	●
10.4	10.1	125 g	43.2	●
4.3	9.4	125 g	56.2	●

ALIMENTS	POUR 100	
	ENERGIE (kcal)	GLUCIDES (g)
CHOCOLATS ET BONBONS		
Balisto, fruits des bois, barre chocolatée	506	59
Balisto, lait,miel, amande, barre chocolatée	524	55.5
Batna, Krema, bonbon	400	81.3
Bounty, barre chocolatée	488	58.3
Carambar multi goût	390	82.5
Carambar caramel	400	75
Chamallows, Haribo, bonbon	330	80
Chocolat au lait, tablette	545	56.9
Chocolat lait céréales, Lindt, tablette	526	58
Chocolat au lait, Ligne gourmande lait fondant, Poulin, tablette	500	53.9
Chocolat lait noisettes, Lindt, tablette	562	48
Chocolat blanc, tablette	551	57.7
Chocolat blanc, Galac, tablette	558	53
Chocolat en poudre, Lion, Nestlé	383	81.2
Chocolat en poudre, Nesquick	378	79.6
Chocolat noir, 1848 Noir de dégustation 86 %, tablette	595	18.1
Chocolat noir, Noir Brut, Côte d'Or, tablette	645	18.5
Chocolat noir Crunch, Nestlé, tablette	501	56.6
Chocolat noir à cuisiner, Le 70 % cacao, Lindt, tablette	531	34

| grammes | | PORTION COURANTE | | |
LIPIDES (g)	PROTÉINES (g)	QUANTITÉ	GLUCIDES (g)	BAS/MOD./HAUT
26.6	7.3	18.6 g	10.95	●
30.2	7.4	18.6 g	10.3	●
7.2	2.8	6.8 g	5.53	◑
26	3.8	57 g	33.23	●
5.9	1.5	7 g	5.78	◑
9.5	3.4	8 g	6 g	◑
0	3	4 g	3.2	○
31.6	7.68	20 g	11.38	●
29	6.8	20 g	11.6	●
36.7	4.6	20 g	10.78	●
37	7.6	20 g	9.6	◑
32	8	20 g	11.54	●
34.5	8.8	20 g	10.6	●
3.1	4.2	15 g	12.18	●
3	5	15 g	11.94	●
51.4	9.2	10 g	1.81	○
56.5	8.5	10 g	1.85	○
26.7	5.3	10 g	5.66	◑
37	8.5	20 g	6.8	◑

ALIMENTS	ENERGIE (kcal)	POUR 100 GLUCIDES (g)
Chocolat noir intense, 70 % cacao, Lindt Excellence, tablette	566	34
Chocolat noir noisettes entières, U, tablette	574	36.6
Chocolat noir puissant, 85 % cacao, Lindt Excellence, tablette	530	19
Chocolat noir prodigieux, 90 % cacao, Lindt Excellence, tablette	592	14
Chocolat noir absolu, 99 % cacao, Lindt Excellence, tablette	567	8
Chocolat noir aux fruits secs (noisettes, amandes, raisins, pralines), tablette	553	44
Chocolat praliné fondant noir, Côte d'or	533	56.8
Chocolat Tendres moments, Milka, tablette	585	48
Crispello, Milka, confiserie au chocolat	555	52
Dragibus, Haribo, bonbon	380	94
Ferrero Rocher, confiserie au chocolat	600	43.8
Fèves de cacao crues	521	1.3
Kinder bueno, Ferrero, barre chocolatée	575	49.5
Kinder bueno mini, Ferrero	575	49.5
Kinder chocolat, Ferrero	558	53
Kinder country, Ferrero, barre chocolatée	557	54.9

grammes		PORTION COURANTE		
LIPIDES (g)	PROTÉINES (g)	QUANTITÉ	GLUCIDES (g)	BAS/ MOD./ HAUT
41	9.5	10 g	3.4	●
42.2	7.8	10 g	3.66	●
46	11	10 g	1.9	●
55	10	10 g	1,4	●
49	13.2	10 g	0.8	●
37	6.52	10 g	4.4	●
31	6.7	10 g	5.68	◑
40	6.6	25 g	12	●
35	7.6	10 g	5.2	◑
0	0.5	25 g	23.5	●
42.7	8.2	13 g	5.69	◑
42.6	4.4	10 g	0.1	●
37.3	9.2	39 g	19.3	●
37.3	9.2	5.4 g	2.7	●
34.5	8.8	12.5	6.63	◑
33.4	8.6	23.4	12.9	●

ALIMENTS	POUR 100	
	ENERGIE (kcal)	GLUCIDES (g)
Kinder Schoko-bons, Ferrero, confiserie au chocolat	575	52.2
Kinder Surprise, Ferrero, confiserie au chocolat	554	53.3
Koala, Lutti, confiserie au chocolat	385	69
Lion Mini, Nestlé, barre chocolatée	493	65.5
M&M,s, confiserie au chocolat	506	60.1
Malabar Bubble Mix, bonbon	315	77.9
Maltesers, confiserie au chocolat	498	61.7
Mars Mini, barre chocolatée	452	70.2
Mentos fruit, bonbon	383	94.9
Milky Way Mini, barre chocolatée	448	71.9
Mini rochers lait Suchard, confiserie au chocolat	565	52.5
Nougatti Côte d'Or, barre chocolatée	470	57.5
Pâte à tartiner Auchan	542	57.1
Pâte à tartiner aux noisettes et cacao, Ferrero, Nutella	544	57.3
Pâte à tartiner chocolat blanc, Auchan	578	55.3
Pâte à tartiner Noikaduo, Noisette et lait, intermarché	535	66.4
Pâte à tartiner noir forte en cacao, Jardin biologique, Léa NATURE	554	41.4
Pâte à tartiner noisettes, Carrefour	524	58
Pâte à tartiner Noisette fine, Casino Délices	561	53
Pâte à tartiner Ovomaltine Crunchy	547	62

| grammes | | PORTION COURANTE | | |
LIPIDES (g)	PROTÉINES (g)	QUANTITÉ	GLUCIDES (g)	BAS/ MOD./ HAUT
36.5	8.5	6 g	3.13	◯
33.7	8.8	20 g	10.7	●
10	5.3	10.8 g	7.45	◑
22.9	5.5	19 g	12.45	●
25.4	9.4	30 g	18.03	●
0	0	7 g	5.45	◑
24.3	8.1	37 g	22.83	●
17.2	3.6	18 g	12.64	●
0	0	40 g	38	●
15.9	4	16 g	11.5	●
36	2.7	12 g	6.3	◑
24	6.2	30 g	17.25	●
32.4	5.6	15 g	8.57	◑
31.6	6	15 g	8.59	◑
37.5	4.9	15 g	8.3	◑
28.3	3.2	15 g	9.96	◑
38	7	15 g	6.21	◑
29	6	15 g	8.7	◑
36	4.5	15 g	7.95	◑
31	4.2	15 g	9.3	◑

ALIMENTS	POUR 100	
	ENERGIE (kcal)	GLUCIDES (g)
Pâte à tartiner, Philadelphia Milka	300	37
Pépites framboise Nature Addicts	345	80
Poudre de cacao, 100% cacao, non sucrée, Van Houten	376	13.9
Raffaello Ferrero, confiserie à la noix de coco	626	37.4
Régalad, Krema, bonbon	405	82.8
Rotella réglisse, Haribo, bonbon	330	78
Smarties Mini, Nestlé, confiserie au chocolat	471	68.1
Snickers	484	60.2
Speculoos à tartiner, Lotus	589	56
Sucettes, mini Chupa Chups	390	96.3
Tagada, Haribo, bonbon	360	88
Toffee Caramel Chocolat, Milka, confiserie au chocolat	445	67
Twix, barre chocolatée	495	64.6
GLACES ET SORBETS		
Barres glacées Snickers	340	33.5
Bâtonnets Chocolat, Casino	202	18
Bâtonnets multifruits, Auchan	99	24.6
Citrons givrés, Pulco	55	13.8
Cornetto Enigma Cookies Chocolat, Miko	340	39
Glaces smoothies Tropic, Marque repère	95	23
Glace chocolat intense, La Laitière	125	15
Glace vanille, La Laitière	114	13.6

grammes		PORTION COURANTE		
LIPIDES (g)	PROTÉINES (g)	QUANTITÉ	GLUCIDES (g)	BAS/ MOD./ HAUT
13.5	6.1	15 g	5.55	◐
1	1	35 g	28	●
21	18.4	15 g	2.08	○
48.4	8.2	10 g	3.74	○
7.3	1.3	6.8 g	5.63	◐
0	4	8.6 g	6.7	◐
19.6	5	14 g	9.53	◐
22.9	8.7	50 g	30.1	●
39	3	15 g	8.4	◐
0	0.02	6 g	5.78	◐
0	3	5.39 g	4.74	○
19.2	3.3	7 g	4.69	○
24	4.5	29 g	18.73	●
19.8	6.5	53 ml	17.76	●
13.3	2	50 ml	9	◐
0	0.1	50 ml	12.3	●
traces	traces	120 ml	16.6	●
18	3.5	125 ml	48.7	●
0	0	50 ml	11.5	●
6	1.9	100 ml	15	●
5.9	1.5	100 ml	13.6	●

ALIMENTS	POUR 100	
	ENERGIE (kcal)	GLUCIDES (g)
Magnum Gold vanille caramel, Miko	320	30
Magnum mini Almond, Miko	180	16
Mini cups Fruit Variety, Haägen Dazs	217	21.5
Smarties Pop'UP, Nestlé	135	19.6
Sorbet citron vert, Carte d'Or	90	21
SUCRE ET SUBSTITUTS		
Cassonade, sucre brun	380	98
Edulcorant à l'aspartame	52	0
Fructose	399	99.8
Hermesetas, comprimé	4	1
Hermesetas, liquide	4	0.9
Hermesetas, poudre	249	56.8
Miel	327	81.1
Sirop d'agave bio, Bjorg	312	75
Sirop d'érable 100 %	261	67.09
Stevia, Pure Via, poudre cristallisée	1.57	98.8
Sucre blanc, morceau n°4	398	99.6
Sucre complet de canne, morceau n°4	384	96
Sucre de fleur de coco	379	100
Sucre glace	389	99.77
Sucre roux, morceau n°4	387	96.7
Sucre roux et stevia, Béghin Say	400	99.7
Sucre vanillé, Vahiné	401	96.4

grammes		PORTION COURANTE		
LIPIDES (g)	PROTÉINES (g)	QUANTITÉ	GLUCIDES (g)	BAS/ MOD./ HAUT
21	3.5	120 ml	36	●
12	2.5	50 g	8	◗
13.1	3.3	100 ml	21.5	●
5.6	1.6	90 ml	17.6	●
0.5	0.5	100 ml	21	●
0	0.12	15 g	14.71	●
0	13	1 g	0	○
0	0	7.5 g	7.49	◗
0	<0	1 cp	<1 mg	○
0	0	10 g	<0.01mg	○
0	0	1 càc	0.28	○
0.07	0.4	10 g	8.11	◗
0.5	1	10 g	7.5	◗
0	0.2	10 g	6.71	◗
0.15	0	2.5 g	2.47	○
0	0	6 g	5.98	◗
0	0	6 g	3.84	○
0	0	10 g	10	●
0	0	10 g	9.98	◗
0	0	6 g	5.8	◗
0	0	2.5 g	2.49	○
0	0	7.5 g	7.23	◗

COMPLÉMENTS NUTRITIONNELS ET MÉDICAMENTS

ALIMENTS	POUR 100	
	ENERGIE (kcal)	GLUCIDES (g)
COMPLÉMENTS NUTRITIONNELS ORAUX		
CLINUTREN, boisson lactée, HP-HC*	160	16
DELICAL, boisson lactée, HP-HC	150	17.6
DELICAL, boisson lactée édulcorée (diabétique), HP-HC	150	13.4
DELICAL, Crème dessert HP-HC La Floridine	150	17.7
FORTIMEL, Compact, boisson lactée, HP-HC	240	29.7
FORTIMEL, Max, boisson lactée, HP-HC	240	29.7
FRESUBIN 2 Kcal Drink, boisson lactée, HP-HC	200	22.5
FRESUBIN 2 Kcal Crème, HP-HC	185	19
FRESUBIN DB Drink (diabétique), boisson lactée, HP-HC	100	13.1
FRESUBIN Jucy Drink, boisson fruitée, HP	150	33.5
FRESUBIN, Poudre protéinée	NC	1
RENUTRYL Booster, boisson lactée, HP-HC	200	24

* HP-HC : HyperProtidique-HyperCalorique

MÉDICAMENTS		
Boiron granules homéopathiques		
Boiron dose-globules homéopathiques		

grammes		PORTION COURANTE		
LIPIDES (g)	PROTÉINES (g)	QUANTITÉ	GLUCIDES (g)	BAS/ MOD./ HAUT
6.2	10	200 ml	32	●
4.4	10	200 ml	35.2	●
5.5	10	200 ml	26.8	●
4.8	9	100 g	17.7	●
9.3	9.3	125 ml	37.1	●
9.3	9.3	300 ml	89.1	●
7.8	10	125 ml	28.1	●
7.2	10	200 g	38	●
7	15	200 ml	26.2	●
0	4	200 ml	67	●
2	97	10 g	0.1	○
7	10	300 ml	72	●

		5 granules	0.25	○
		1 dose	1	●

COMPLÉMENTS NUTRITIONNELS ET MÉDICAMENTS

ALIMENTS	POUR 100	
	ENERGIE (kcal)	GLUCIDES (g)
Doliprane 500 mg, poudre pour solution buvable arôme orange		
Doliprane 500 mg, comprimés effervescents		
Doliprane 1000 mg, poudre pour solution buvable arôme orange		
Fervex adulte, granulés pour solution buvable		
Fervex adulte goût framboise, granulés pour solution buvable		
Lysopaïne maux de gorge citron		
Mucomyst 200 mg, poudre pour solution buvable		
Strepsils Orange vitamine C, pastilles à sucer		
Strepsils Miel-citron, pastilles à sucer		

grammes		PORTION COURANTE		
LIPIDES (g)	PROTÉINES (g)	QUANTITÉ	GLUCIDES (g)	BAS/ MOD./ HAUT
		1 sachet	1.34	○
		1 cp	0.408	○
		1 sachet	2.68	○
		1 sachet	11.5	●
		1 sachet	11.5	●
		1 pastille	0.06	○
		1 sachet	1.28	○
		1 pastille	2.40	○
		1 pastille	2.45	○

ALIMENTS	POUR 100	
	ENERGIE (kcal)	GLUCIDES (g)
FRUITS FRAIS, EN CONSERVE, SÉCHÉS		
Abricot au sirop, St Mamet, conserve	71	17
Abricot, frais	49	9.01
Abricot, séché, dénoyauté	271	53
Ananas, frais, pulpe	52.6	11
Ananas au sirop, appertisé, conserve	81.9	19.1
Avocat, frais, pulpe	169	1.8
Banane, fraîche, pulpe	93.6	20.5
Banane, séchée	273	63
Carambole, frais, pulpe	27.3	2.91
Cassis, frais	73.2	10.4
Cerise, fraîche	70.8	14.2
Châtaigne, appertisée	163	31.3
Châtaigne, grillée	236	47.8
Citron vert ou lime, frais, pulpe	36.2	2.82
Citron frais, pulpe	34.3	2.45
Citron, jus pressé maison	27.6	2.75
Citron vert, pur jus	24.2	1.49
Citron, zeste	50.6	2.49
Clémentine ou mandarine, fraîche, pulpe	48.5	9.19
Cocktail de fruits au sirop léger, Carrefour	86	22.4
Coing, frais	57.7	11.2
Datte séchée, pulpe et peau	282	62.5
Figue, fraîche	66.8	13.4
Figue de Barbarie, pulpe et graines	54.7	10.1

grammes		PORTION COURANTE		
LIPIDES (g)	PROTÉINES (g)	QUANTITÉ	GLUCIDES (g)	BAS/ MOD./ HAUT
1	0.5	102.5	17.43	●
0.21	0.9	65 g	5.86	◑
0.8	3.14	30 g	15.9	●
0.2	0.4	100 g	11	●
0	0.4	100 g	19.1	●
16	1.8	110 g	2	○
0.23	1.2	130 g	26.65	●
1	3	30 g	18.9	●
0.34	0.78	120 g	3.49	○
0.5	0.9	100 g	10.4	●
0.3	1.3	50 g	7.1	◑
1.6	2.6	120 g	37.5	●
2.2	3.17	90 g	43	●
0.2	0.7	120 g	3.38	○
0.3	0.8	100 g	2.45	○
0.08	0.32	50 ml	1.38	○
0.23	0.25	25 ml	0.75	○
0.3	1.5	10 g	0.25	○
0.19	0.8	70 g	6.43	◑
0.1	0.41	96 g	21.46	●
0.4	0.37	120 g	13.44	●
<0.4	2.7	30 g	18.75	●
0.3	1.3	45 g	6.03	◑
0.3	0.75	50 g	5.05	◑

ALIMENTS	POUR 100	
	ENERGIE (kcal)	GLUCIDES (g)
Figue, séchée	252	50.4
Fraise, fraîche	28.5	4.06
Framboise	45.1	4.25
Fruits confits	322	82.74
Fruit de la passion, frais, pulpe et pépins	84.3	9.48
Fruits rouges (framboises, fraises, groseilles, cassis), frais	46.8	5.3
Goyave, appertisée	87.9	19.4
Grenade, fraîche, pulpe et pépins	71.1	13.6
Groseille, fraîche	55.4	6.14
Groseille à maquereau, fraîche	40.3	4.83
Kaki, frais, pulpe	67.7	13.7
Kiwi, frais, pulpe et graines	57.7	9.37
Litchi, dénoyauté, appertisé	121	27
Litchi, frais, pulpe	69.4	14
Mandarine, fraîche, pulpe	48.5	9.19
Mangue, fraîche, pulpe	63.5	13.6
Melon, frais, pulpe	32.1	6.49
Mirabelle, fraîche	61.8	12.4
Mûre (de ronce), fraîche	45.4	6.02
Mûre noire (du murier), fraîche	49.4	9.7
Myrtille, fraîche	60.2	11.6
Nectarine, fraîche, pulpe et peau	42.6	7.69
Orange, fraîche, pulpe	46.5	8.32
Pamplemousse ou pomélo, frais, pulpe	35.9	6.2
Pastèque, fraîche, pulpe	34	7.28

| grammes | | PORTION COURANTE | | |
LIPIDES (g)	PROTÉINES (g)	QUANTITÉ	GLUCIDES (g)	BAS/ MOD./ HAUT
1.41	3.37	30 g	15.12	●
0.26	0.75	50 g	2.03	○
0.3	1.4	50 g	2.13	○
0.07	0.34	30 g	24.82	●
0.7	2.2	80 g	7.58	◐
0.63	1.11	50 g	2.65	○
0.1	0.4	100 g	19.4	●
0.56	1.06	80 g	10.88	●
0.5	1.1	50 g	3.7	○
0.59	0.89	50 g	2.42	○
0.26	0.63	150 g	20.55	●
0.73	1.1	75 g	7.02	◐
0.3	0.9	100 g	27	●
0.42	0.82	20 g	2.8	○
0.19	0.8	70 g	6.43	◐
0.2	0.7	120 g	16.32	●
1.15	0.71	120 g	7.79	◐
<0.2	0.72	15 g	1.86	●
0.2	0.9	50 g	3.01	○
0.2	1.37	50 g	4.85	○
0.24	0.65	50 g	5.8	◐
0.1	1.4	150 g	11.54	●
0.26	1	150 g	12.48	●
0.1	0.8	200 g	12.4	●
0.08	0.6	100 g	7.28	◐

FRUITS

ALIMENTS	POUR 100	
	ENERGIE (kcal)	GLUCIDES (g)
Pêche, fraîche, pulpe et peau	53.4	10.2
Pêche demi-fruit au sirop léger, Auchan, conserve	71	16.2
Poire, fraîche, pulpe et peau	53	10.8
Pomme, fraîche, pulpe et peau	53.2	11.3
Prune Reine-Claude, fraîche	48.7	9.6
Pruneaux d'Agen, pasteurisés sans conservateur, humidité max 35 %, Golden Fruit, Maître Prunille	243	54.9
Raisin blanc, frais	70	16.1
Raisin noir, frais	62.1	12.1
Raisin, sec	250	66.4
Rhubarbe, cuite, sucrée	131	29.1
PÂTISSERIES AUX FRUITS		
Chausson aux pommes	345	36.6
Far aux pruneaux	392	50.4
Tarte aux abricots	237	29
Tarte citron, Paul	284	40.69
Tartelette framboises, Paul	219	32.07
COMPOTES ET CONFITURES		
Compote d'abricots, Bonne Maman, conserve	NC	26
Compote, Dessert pomme nature, Andros, conserve	87	20
Compote gourde Pomme Rik et Rok, Auchan	52	11.3
Compote banane fraise Pom'Pot Materne	61	11.8

LIPIDES (g)	PROTÉINES (g)	QUANTITÉ	GLUCIDES (g)	BAS/ MOD./ HAUT
grammes		PORTION COURANTE		
0.25	0.9	150 g	15.3	●
0.2	0.4	100 g	16.2	●
0.22	0.39	150 g	16.2	●
0.16	0.31	150 g	16.95	●
0.28	0.8	30 g	2.88	○
0.3	1.9	30 g	13.5	●
0.16	0.6	120 g	19.32	●
0.25	0.5	120 g	14.52	●
0.58	2.99	30 g	20	●
0.1	0.9	100 g	29.1	●
20.4	3.35	120 g	44	●
18.5	5.5	60 g	30.24	●
10.7	3.18	60 g	17.4	●
12.26	2.3	154 g	62.7	●
8	3.3	150 g	48.14	●
NC	NC	100 g	26	●
0.2	0.2	100 g	20	●
0.6	0.3	90 g	10.17	●
0.5	0.5	90 g	10.62	●

ALIMENTS	POUR 100	
	ENERGIE (kcal)	GLUCIDES (g)
Compote, Granité pommes, Andros, pots individuels	47	9
Compote, Pêche Melba, Charles&Alice, pots individuels	472	14.5
Compote pomme sans sucres ajoutés, U, conserve	47	10
Compote pomme-châtaigne, Andros, pots individuels	130	30
Compote Pommes et speculoos, Charles & Alice, pot familial	97	18
Compote pomme-framboise Materne	65	12.7
Compote pomme-pêche Charles & Alice	58	12.4
Compote Pomme-pêche, P'tit Dros, Andros	71	16
Compote pomme-pêche-abricot, Materne, pots individuels	57	11.6
Compote pomme-pêche, Purée aux 3 fruits, Regain, pots individuels	52	11.4
Compote pomme-poire en morceaux, Andros, conserve	47	10
Compote pomme-mangues, Charles&Alice, pots individuels	70	15
Compote Pomme-Vanille Pom'Pot, Materne	70	14.8
Compote pomme-pruneaux, Charles & Alice, pots individuels	94	20.3
Compote, Recette Velouté fraises, Andros	86	20
Confiture Confipote fraise Materne	164	38.5
Confiture d'abricots allégée Andros	167	41

grammes		PORTION COURANTE		
LIPIDES (g)	PROTÉINES (g)	QUANTITÉ	GLUCIDES (g)	BAS/ MOD./ HAUT
0.2	0.2	100 g	9	◑
5.3	1.7	85 g	12.33	●
0.2	0.3	100 g	10	●
0.4	0.6	100 g	30	●
2.2	0.5	100 g	18	●
0.6	0.5	100 g	12.7	●
0.3	0.3	100 g	12.4	●
0.2	0.2	100 g	16	●
0.5	0.4	100 g	11.6	●
0.4	0.3	100 g	11.4	●
0.2	0.3	100 g	10	●
0.5	0.5	100 g	15	●
0.6	0.5	100 g	14.8	●
0.6	1.2	100 g	20.3	●
0.2	0.5	97 g	20	●
0.5	0.5	15 g	5.78	◑
0.2	0.7	15 g	6.15	◑

ALIMENTS	ENERGIE (kcal)	GLUCIDES (g)
	POUR 100	
Confiture d'abricots allégée Casino	173	42
Confiture de fraises allégée Monoprix	173	42
Confiture de framboises, Bonne Maman	NC	60
Confiture de framboises, La framboise Fruitée Intense Bonne Maman	NC	41
Confiture de lait Bonne maman	NC	73
Confiture Extra Abricot U Bio	NC	61
Confiture Extra fraise Andros	NC	60
Coulis de fruits rouges (framboises, fraises, groseilles, cassis)	90.1	17.5
Gelée de mûres Bonne Maman	NC	60
Pâte de fruits	316	71.1
FRUITS OLÉAGINEUX		
Amandes effilées Vahiné	623	19.9
Amandes en batônnets, Vahiné	593	8.8
Amandes en poudre, Vahiné	594	8
Amandes émondées, Vahiné	623	19.9
Amandes séchées, non blanchies, avec peau	634	1.5
Arachides (cacahuètes)	636	14.8
Graines de chia, Markal	450	3.8
Graines de courge Markal	540	0.7
Graines de lin doré, Celnat	492	1.2
Noisettes	683	5.62
Noisettes décortiquées, Seeberger	666	11
Noix, cerneau, séché	698	10.8
Noix de cajou, séchée, Jean Hervé	601	26

grammes		PORTION COURANTE		
LIPIDES (g)	PROTÉINES (g)	QUANTITÉ	GLUCIDES (g)	BAS/MOD./HAUT
0.1	0.5	15 g	6.3	◗
0.2	0.4	15 g	6.3	◗
NC	NC	15 g	9	◗
NC	NC	15 g	6.15	◗
NC	NC	15 g	11	●
NC	NC	15 g	9.15	◗
NC	NC	15 g	9	◗
0.48	0.94	15 g	2.63	○
NC	NC	15 g	9	◗
1.89	1.18	15 g	10.67	●
50.6	21.9	15 g	2.99	○
53	21	15 g	1.32	○
52.9	21.5	30 g	2.4	○
50.6	21.9	30 g	6	◗
53.4	30.6	30 g	0.45	○
49.6	29.6	30 g	4.44	○
31.4	21.2	10 g	0.38	○
41.6	35	30 g	0.21	○
37.3	23.5	10 g	0.12	○
63	19.3	30 g	1.7	○
62	12	30 g	3.3	○
63.8	17.3	30 g	3.24	○
43	21.25	30 g	7.8	◗

ALIMENTS	POUR 100	
	ENERGIE (kcal)	GLUCIDES (g)
Noix de cajou, grillées et salées au sel de mer, Bénenuts	590	20
Noix de coco, amande mûre, fraîche	374	3.81
Noix de coco, amande, sèche	683	9.27
Noix de coco râpée, Vahiné	637	7.3
Noix de macadamia	734	5.94
Noix de pécan	739	2.94
Noix du Brésil	705	2.73
Olives noires, entières ou dénoyautées, en saumure	162	1.71
Olives vertes, entières ou dénoyautées, en saumure	145	1.32
Pignons de pins	695	5.58
Pistaches, entières, séchées, Jean Hervé	662	9.6
Pistaches, grillées, salées	604	12
PURÉES D'OLÉAGINEUX		
Crème de sésame noir, Jean Hervé	628	3.6
Purée d'amande blanche, Jean Hervé	667	5.6
Purée de cacahuète, Jean Hervé	622	12.8
Purée de noisette, Jean Hervé	693	5.5
Purée de noix de cajou, Jean Hervé	601	26
Purée de pistache, Jean Hervé	662	9.6
Purée de sésame blanc (tahin), Jean Hervé	679	2.5

grammes		PORTION COURANTE		
LIPIDES (g)	PROTÉINES (g)	QUANTITÉ	GLUCIDES (g)	BAS/ MOD./ HAUT
47	20	30 g	5.9	◐
35.3	4.3	30 g	1.14	●
65.1	7.83	30 g	2.78	●
64.5	6.9	30 g	2.19	●
72.9	9.33	30 g	1.78	●
73.8	11	30 g	0.9	●
68.2	16.1	30 g	0.82	●
14	0.92	30 g	0.51	●
13.9	1.02	30 g	0.4	●
65.4	16.1	30 g	1.67	●
57.2	24	30 g	2.9	●
46.4	29.4	30 g	3.6	●
54.4	24.3	30 g	1.08	●
58.5	25.8	30 g	1.68	●
48.8	28	30 g	3,84	●
63.5	16.4	30 g	1.65	●
43.1	21.2	30 g	7.8	◐
57.3	24.1	30 g	2.88	●
61.6	25.2	30 g	0.75	●

ALIMENTS	POUR 100	
	ENERGIE (kcal)	GLUCIDES (g)
HERBES AROMATIQUES		
Aneth frais	43	4.92
Basilic, frais	30.7	1.23
Basilic, déshydraté	251	20.46
Cerfeuil, frais	48.2	6.47
Ciboulette, fraîche	30	0.87
Coriandre, fraîche	34.4	4.42
Estragon, déshydraté	296	42.82
Fenouil, graines, épices	345	12.49
Menthe, fraîche	48.6	3.37
Persil, déshydraté	276	21.26
Persil, frais	46.5	4.57
Romarin, déshydraté	332	21.46
Romarin, frais	131	6.6
Thym, déshydraté	276	26.94
Thym, frais	101	10.45
LÉGUMES NATURE		
Ail frais	131	21.5
Artichaut, cru, partie comestible	44.4	4.92
Artichaut, cuit, partie comestible	43.1	4.84
Asperge, bouillie, égouttée	29.7	3.18
Aubergine, cuite	35.2	6.26
Betterave, crue	43	7.66
Betterave, bouillie, égouttée	43.4	7.17
Blettes, bettes ou côtes de bettes, cuites	20.6	2.03
Brocoli, cuit	28.7	2.82

grammes		PORTION COURANTE		
LIPIDES (g)	PROTÉINES (g)	QUANTITÉ	GLUCIDES (g)	BAS/ MOD./ HAUT
1.12	3.46	5 g	0.25	●
0.72	3.12	3 g	0.04	●
3.98	14.37	5 g	1.02	●
0.567	3.3	5 g	0.3	●
0.73	3.27	5 g	0.04	●
0.43	2.3	5 g	0.22	●
7.24	22.77	5 g	2.14	●
14.87	15.80	2 g	0.25	●
0.79	3.61	5 g	0.17	●
4.43	22.42	5 g	1.06	●
0.843	3	5 g	0.23	●
15.22	4.88	5 g	1.07	●
5.86	3.31	5 g	0.33	●
7.43	9.11	5 g	1.35	●
1.68	5.56	5 g	0.52	●
0.47	7.9	3 g	0.65	●
0.2	2.8	128 g	6.3	◑
0.23	2.9	120 g	5.81	◑
0.32	2.68	90 g	2.86	●
0.2	0.83	150 g	9.4	◑
0.17	1.61	90 g	6.89	◑
0.1	2.3	90 g	6.45	◑
0.08	1.88	150 g	3.05	●
0.51	2.1	150 g	4.43	●

LÉGUMES

ALIMENTS	POUR 100	
	ENERGIE (kcal)	GLUCIDES (g)
Carotte, crue	36.3	6.6
Carotte, cuite	27.7	4.94
Céleri branche, cru	15.8	1.16
Céleri branche, cuit	13.2	1.62
Céleri-rave, cru	36.6	5.68
Cèleri-rave, cuit	35	4.56
Champignon, cèpes déshydratés, Monoprix Gourmet	240	27
Champignon, tout type, cru	30.2	0.21
Chou blanc cru	29.2	4.75
Chou de Bruxelles, cuit	41.2	6.69
Chou chinois, cru	16	2.03
Chou-fleur, cuit	25.2	2.79
Chou rave, cru	27	2.6
Chou rave, cuit	29	5 .59
Chou rouge, cru	32.8	4.99
Chou vert frisé, cuit	28	3.63
Concombre, eau et pulpe	12	1.63
Courge d'hiver, courge musquée (butternut), cuite au four	40	7.29
Courge d'hiver, courge poivrée (courgeon), bouillie, en purée	34	8.79
Courge d'hiver, courge poivrée (courgeon), cuite au four	56	12.68
Courge d'hiver, hubbard, bouillie, en purée	30	4.66
Courge d'hiver, hubbard, cuite au four	50	8.51
Courge d'hiver, potiron cuit	13,6	1,9

| grammes | | PORTION COURANTE | | |
LIPIDES (g)	PROTÉINES (g)	QUANTITÉ	GLUCIDES (g)	BAS/ MOD./ HAUT
0.26	0.8	90 g	5.94	◐
0.1	0.76	150 g	7.41	◐
0.2	1.2	50 g	0.58	○
0.09	0.83	150 g	2.43	○
0.3	1.2	90 g	5.11	◐
0.86	0.96	150 g	6.84	◐
1.3	30	15 g	4.05	○
1.5	3.09	90 g	0.19	○
0.2	1.25	90 g	4.96	○
0.11	2.55	150 g	10	●
0.20	1.20	90 g	1.83	○
0.3	1.84	150 g	4.19	○
0.10	1.70	90 g	2.34	○
0.11	1.80	150 g	8.39	◐
0.2	1.61	90 g	4.49	○
0.40	1.90	150 g	5.45	◐
0.19	0.59	90 g	1.47	○
0.09	0.9	150 g	10.94	●
0.08	0.67	150 g	13.19	●
0.14	1.12	150 g	19.02	●
0.37	1.48	150 g	6.99	◐
0.62	2.48	150 g	12.77	●
0,1	0,6	150 g	2,85	○

ALIMENTS	POUR 100	
	ENERGIE (kcal)	GLUCIDES (g)
Courge d'hiver, spaghetti, au four ou bouillie, égouttée	27	5.06
Courgette, pulpe et peau, crue	20	2.49
Courgette, pulpe et peau, cuite	19.2	2.34
Echalote, crue	76.1	15.9
Endive, crue	17.4	2.37
Endive cuite	17.9	2.7
Epinards, cuits	26.8	1.87
Epinards, feuilles préservées, Bonduelle, surgelé	24	1.5
Fenouil, bulbe, cuit à l'eau	15.5	1.63
Germes de haricots mungo (pousses de soja) bouillis, égouttés	21	3.39
Germes de haricots mungo (pousse de soja), crus	30	4.14
Graines germées de luzerne ou alfalfa, crues	23	0.2
Graines germées de radis, crues	43	1.1
Graines germées de radis, fenouil, alfalfa, crues, Graines à germer Germline	36	traces
Haricots verts cuits	33.3	5.08
Haricots beurre cuits	23.6	2.8
Macédoine de légumes surgelée, Bonduelle, surgelé	51	6.8
Navet cuit	21.4	3.1
Oignon, cru	43.2	7.37
Oignon, cuit	30.2	5.36
Oignon doux, cru	32	6.65

grammes		PORTION COURANTE		
LIPIDES (g)	PROTÉINES (g)	QUANTITÉ	GLUCIDES (g)	BAS/ MOD./ HAUT
0.26	0.66	150 g	7.59	◐
0.273	1.34	90 g	2.24	○
0.29	1.14	150 g	3.51	○
0.15	1.9	10 g	1.59	○
0.2	1.03	120 g	2.84	○
0.3	0.6	150 g	4.05	○
0.14	2.97	120 g	2.24	○
0.4	2.5	150 g	2.3	○
<0.1	1.13	150 g	2.45	○
0.09	2.03	90 g	3.05	○
0.18	3.04	90 g	3.73	○
0.69	3.99	20 g	0.04	○
2.53	3.81	20 g	0.22	○
1.1	4.5	20 g	traces	○
0.15	1.35	150 g	7.62	◐
0.13	1.48	150 g	4.2	○
0.5	2.9	150 g	10.2	●
0.2	0.71	120 g	3.72	○
0.59	1.25	100 g	7.37	◐
0.2	1.04	100 g	5.36	◐
0.08	0.8	100 g	6.65	◐

ALIMENTS	POUR 100	
	ENERGIE (kcal)	GLUCIDES (g)
Oignon jaune, sauté	132	6.16
Panais, cuit	71	13.81
Poireau, cuit	24.6	3.28
Poivron jaune, cru	27	4.2
Poivron rouge, cru	34.3	5.73
Poivron rouge, cuit	33.4	5.74
Poivron vert, cru	21.3	3.08
Poivron vert, cuit	28.5	4.39
Potiron, cuit	13.6	1.9
Radis noir, cru	17.8	0.6
Radis rouge, cru	13.1	1.77
Rutabaga (chou-navet), bouilli, égoutté	39	6.94
Rutabaga (chou-navet), cru	36	5.73
Salade frisée	19	2.8
Salade laitue	18	2.6
Salade feuille de Chêne	15	0.6
Salade feuille de Chêne Rouge	21	1.9
Salade laitue Iceberg	16	2.8
Salade mâche	26	2.3
Salade pousses d'épinards	21	1.6
Salade romaine	21	0.3
Salade roquette	30	3.2
Salade en sachet, Jeunes Epinards à cuisiner, Bonduelle	21	1.6
Tomate, poudre	302	58.1
Tomate rouge, crue	16.4	1.72

grammes		PORTION COURANTE		
LIPIDES (g)	PROTÉINES (g)	QUANTITÉ	GLUCIDES (g)	BAS/ MOD./ HAUT
10.8	0.95	100 g	6.16	◑
0.3	1.32	150 g	20.72	●
0.2	0.81	150 g	4.92	○
0.3	0.9	120 g	5.04	◑
0.4	1	120 g	6.88	◑
0.4	1.1	120 g	6.89	◑
0.3	0.8	120 g	3.7	○
0.5	1	120 g	5.27	◑
<0.1	0.6	150 g	2.85	○
<0.1	2.8	90 g	0.54	○
<0.1	0.76	90 g	1.59	○
0.22	1.29	150 g	10.41	●
0.2	1.2	150 g	8.6	◑
0.1	0.9	50 g	1.4	○
0.1	1	50 g	1.3	○
0.5	1.4	50 g	0.3	○
0.5	1.4	50 g	0.95	○
0.1	0.6	50 g	1.4	○
0.5	2.1	50 g	1.15	○
<0.5	2	50 g	0.8	○
0.3	1.8	50 g	0.15	○
<0.5	2.5	50 g	1.6	○
<0.5	2	100 g	1.6	○
0.44	12.91	5 g	2.91	○
0.2	0.88	120 g	2.06	○

ALIMENTS	POUR 100	
	ENERGIE (kcal)	GLUCIDES (g)
Tomate rouge, mûre, bouillie	17	2.51
Topinambour, cuit	71.2	12.8
LÉGUMES ASSAISONNÉS ET/OU CUISINÉS		
Artichaut, cœurs d'artichauts, Ecrin des champs, conserve	34	4.80
Aubergine, Confit d'Aubergines, Cassegrain, conserve	90	6.1
Aubergines frites à la provençale, Les mets de Provence, conserve	121	9.10
Aubergines grillées, Bonduelle, surgelé	43	5.6
Betteraves en dés, Bonduelle, conserve	41	7.3
Brocoli, Le Brocoli Bouquets, Gamme précuit vapeur, Bonduelle, surgelé	31	3.5
Brocoli, Le Brocoli Précuit Vapeur Petites Fleurettes, Bonduelle, surgelé	30	2.1
Carottes en rondelles préparées Vapeur, Bonduelle, conserve	36	5.8
Céleri, cœurs de céleri, Bonduelle, conserve	17	2.1
Céleri, cœurs de céleri, U, conserve	13	2.1
Céleri râpé, Bonduelle, conserve	28	4.1
Champignon, tout type, appertisé, égoutté, conserve	19.8	0.456
Champignons à la grecque, Bonduelle, conserve	52	2.3
Champignons à la méditerranéenne, Bonduelle, conserve	52	4.1
Champignons de Paris, Bonduelle, conserve	19	0.6

grammes		PORTION COURANTE		
LIPIDES (g)	PROTÉINES (g)	QUANTITÉ	GLUCIDES (g)	BAS/ MOD./ HAUT
0.26	0.8	150 g	3.77	○
0.7	2	120 g	15.36	●
0.20	1.7	30 g	1.40	○
6	1.2	185 g	11.3	●
8.50	1	150 g	13.65	●
0.3	2	150 g	8.4	◐
0.3	1.2	130 g	9.5	◐
0.3	2.3	150 g	5.3	◐
0.6	2.8	140 g	2.9	○
0.6	0.6	120 g	7	◐
0.2	0.7	130 g	2.7	○
0.2	0.7	150 g	2.78	○
0.4	0.8	110 g	4.5	○
0.397	2.37	150 g	0.7	○
2.9	2.3	100 g	2.3	○
2.4	1.7	100 g	4.1	○
0.4	2.2	115 g	0.7	○

ALIMENTS	POUR 100	
	ENERGIE (kcal)	GLUCIDES (g)
Champignons de Paris à la crème fraîche, Cassegrain, conserve	48	1.8
Champignon de Paris au mascarpone, Cassegrain, conserve	59	3.8
Champignons de Paris aux aubergines, Cassegrain, conserve	68	1.2
Champignons de Paris aux marrons, Cassegrain, conserve	106	2.6
Champignons de Paris, pieds et morceaux, Notre jardin, Marque Repère, conserve	15	0.5
Choucroute, sans jus	31.40	5.25
Chou de Bruxelles, Petits Choux Bruxelles, Cassegrain, conserve	40	5.4
Chou-fleur, Le Chou-Fleur Précuit Vapeur, Bonduelle, surgelé	23	2.3
Cœurs de palmier, U, conserve	33	2
Courgette, cuisinée à la Provençale, Cassegrain, conserve	68	6.4
Courgettes en rondelles préparées Vapeur, Bonduelle, conserve	24	3.5
Curry Jaune de Légumes, Cassegrain, conserve	70	4.7
Endives entières vapeur, Bonduelle, conserve	23	3.1
Epinards branches à la crème, Bonduelle, surgelé	36	2.4
Epinards hachés à la crème, Bonduelle, surgelé	46	4.2
Epinards hachés à la crème fraîche, Findus, surgelé	75	4.5

grammes		PORTION COURANTE		
LIPIDES (g)	PROTÉINES (g)	QUANTITÉ	GLUCIDES (g)	BAS/ MOD./ HAUT
2.7	2.4	190 g	3.4	◯
2.8	2.5	195 g	7.4	◐
4.4	3	175 g	2.1	◯
7.4	2.9	175 g	4.6	◯
<1	2	115 g	0.575	◯
0.25	1.50	120 g	6.30	◐
0.5	2.5	132 g	7.1	◐
0.2	1.8	150 g	3.5	◯
1	2	55 g	1.10	◯
3.7	1.8	185 g	11.8	●
0.1	1.6	100 g	3.5	◯
4	1.3	187 g	8.8	◐
0.2	0.9	110 g	3.4	◯
1.5	2.2	150 g	3.6	◯
1.9	2	150 g	6.3	◐
4	3.5	200 g	9	◐

ALIMENTS	POUR 100	
	ENERGIE (kcal)	GLUCIDES (g)
Galettes de légumes surgelées, La Campagne-Haricots verts, Carottes, Pommes de Terre , Bonduelle	97	7.6
Galettes de légumes surgelées, La Champêtre-Poireaux et Carottes, Bonduelle	131	5.8
Galettes de légumes surgelées, La Jardinière-Haricots verts, Epinards & Brocolis, Bonduelle	83	6
Galettes de légumes surgelées,La Parisienne-Champignons de Paris, Haricots Verts & Pommes de Terre , Bonduelle	92	5.9
Galettes de légumes surgelées,La Paysanne-Choux-fleurs, Brocolis & Carottes , Bonduelle	91	5.4
Galettes de légumes surgelées, La printanière-Duo de courgettes et petits légumes, Bonduelle	92	6.3
Galettes de légumes surgelées,La Provençale-Légumes du Soleil & Pommes de Terre , Bonduelle	106	9.9
Haricots beurre extra-fins, D'Aucy, conserve	25	2.8
Haricots beurre extra-fins et tendres, La gamme vapeur, Bonduelle, conserve	24	2
Haricot beurre, Le Haricot Beurre Extra Fin Précuit Vapeur, Bonduelle, surgelé	27	3.1
Haricots verts cueillis & rangés main, Bonduelle, conserve	20	2.1
Haricots verts extra-fins, cuisinés, carottes et persil, Cassegrain, conserve	57	3

grammes		PORTION COURANTE		
LIPIDES (g)	PROTÉINES (g)	QUANTITÉ	GLUCIDES (g)	BAS/ MOD./ HAUT
5.1	2.9	150 g	11.4	●
7.8	6.6	150 g	8.8	◑
4.2	4	150 g	9	◑
5.1	3.6	150 g	8.8	◑
4.8	4.9	150 g	8.2	◑
4.7	4.2	150 g	9.4	◑
4.4	5	150 g	14.8	●
0.2	1.6	146.6 g	4.1	○
0.2	1.7	110 g	2.2	○
0.2	1.8	150 g	4.7	○
0.2	1.1	125 g	2.63	○
0.1	1.8	110 g	3.3	○

ALIMENTS	ENERGIE (kcal)	POUR 100 GLUCIDES (g)
Haricots verts extra-fins et rangés, Bonduelle, conserve	20	1.5
Haricots verts extra-fins et rangés, D'aucy, conserve	26	3
Haricots verts extra-fins et tendres Vapeur, Bonduelle, conserve	31	3.7
Haricots verts, Le Haricot Précuit Vapeur, Bonduelle, surgelé	32	3.9
Haricots verts plats à la Provençale, Cassegrain, conserve	53	5.9
Jardinière, Cassegrain, conserve	71	11.2
Jardinière aux 4 légumes, Bonduelle, conserve	41	5.9
Julienne de Légumes, Bonduelle, surgelé	24	3.4
Légumes à poêler, La champêtre à poêler, Bonduelle, conserve	83	5.3
Légumes à poêler, La Parisienne à poêler, Bonduelle, conserve	52	7.1
Légumes à poêler, La Printanière à poêler, Bonduelle, conserve	64	6.3
Légumes à poêler, La Provençale à poêler, Bonduelle, conserve	54	5
Légumes compotés pour couscous, Cassegrain, conserve	66	6.4
Légumes noisette carotte Iglo, surgelé	182	21
Légumes pour potage : Courgette, Haricots verts, Pois, Brocolis, Gamme précuit vapeur, Bonduelle, surgelé	35	4.2
Légumes pour potage : Poireaux, Carottes Jaunes, Navets, Gamme précuit vapeur, Bonduelle, surgelé	25	3.1

| grammes | | PORTION COURANTE | | |
LIPIDES (g)	PROTÉINES (g)	QUANTITÉ	GLUCIDES (g)	BAS/ MOD./ HAUT
0.1	1.6	110 g	1.7	○
0.20	1.60	146.6 g	4.39	○
0.3	1.7	110 g	4.1	○
0.2	2	150 g	5.9	◑
1.7	1.5	188 g	11.1	●
0.5	3.5	132 g	14.8	●
0.4	1.9	125 g	7.4	◑
0.3	0.8	150 g	5.1	◑
3.7	3.7	150 g	8	◑
1.3	1.7	150 g	10.7	●
2	3	150 g	9.5	◑
2	2.1	150 g	7.5	◑
3.1	1.3	187 g	12	●
9	4	125 g	26.25	●
0.4	2.2	150 g	6.3	◑
0.3	1	150 g	4.7	○

LÉGUMES

ALIMENTS	ENERGIE (kcal)	GLUCIDES (g)
		POUR 100
Légumes pour potage : Potiron, Potimarron, Carottes, Oignons, Gamme précuit vapeur, Bonduelle, surgelé	40	7
Les 3 Légumes «précuit vapeur» Chou Fleur-Carottes-Brocolis, Bonduelle, surgelé	25	3.4
Les 3 Légumes «précuit vapeur» courgettes-haricots plats-poivrons, Bonduelle, surgelé	25	4
Les 3 Légumes «précuit vapeur» Haricots verts-Carottes-Pois Gourmands, Bonduelle, surgelé	35	5.3
Macédoine de légumes assaisonnée, Bonduelle, rayon frais	72	4.5
Macédoine de légumes, D'Aucy, conserve	53	7.7
Macédoine de légumes, Notre jardin, marque repère, conserve	35	5
Maïs Jeunes Grains, Bonduelle, conserve	75	11.7
Maïs Bio sans sucres ajoutés, Bonduelle, conserve	80	10.8
Maïs sans sel, Bonduelle, conserve	80	10.9
Maïs sans sucres ajoutés, Bonduelle, conserve	80	10.8
Maïs & Haricots rouges, Bonduelle, conserve	109	18.2
Maïs & Olives, Bonduelle, conserve	76	6.8
Mélange de légumes, Recette du jardin Iglo, surgelé	56	3.8
Palets de poireaux carottes Auchan, surgelé	146	9.8

| grammes | | PORTION COURANTE | | |
LIPIDES (g)	PROTÉINES (g)	QUANTITÉ	GLUCIDES (g)	BAS/ MOD./ HAUT
0.4	1	150 g	10.5	●
0.2	1.1	150 g	5.1	◐
0.2	0.9	150 g	6	◐
0.2	1.6	150 g	8	◐
5	1	80 g	3.6	○
0.6	2.2	132.5 g	10.20	●
<1	2	130 g	6.5	◐
1.2	2.9	70 g	8.2	◐
1.9	2.9	70 g	7.55	◐
1.9	3.1	70 g	7.65	◐
1.9	2.9	70 g	7.55	◐
1.6	3.6	70 g	12.75	●
3.5	2	55 g	3.73	○
3.3	2	200 g	7.6	◐
10.4	1.8	150 g	14.7	●

ALIMENTS	POUR 100	
	ENERGIE (kcal)	GLUCIDES (g)
Poêlée de légumes grillés Casino, surgelé	46	4.9
Poêlée de légumes, Ma poêlée de légumes Sauce Courgette au Thym Citron (carottes, choux fleurs, brocolis, haricots verts), D'Aucy, surgelé	38.5	4.6
Poêlée de légumes surgelée, Cuisine du monde, Légumes à l'asiatique (carottes, pousses de haricots mungo, pois doux, poireaux, pois mange-tout, champignons noirs...), Bonduelle	57	4.9
Poêlée de légumes surgelée, Cuisine du monde, Légumes à l'Indienne (pois gourmands, carottes orange, carottes jaunes, aubergines, tomates, lentilles, oignons), Bonduelle	79	6
Poêlée de légumes surgelée, Cuisine du monde, Légumes à l'orientale (courgettes, carottes, aubergines, poivrons jaunes, pois chiches, raisins secs), Bonduelle	80	9.2
Poêlée de légumes surgelée, Poêlée du marché La campagne (haricots verts, choux-fleurs, carottes, pommes de terre), Bonduelle	55	7
Poêlée de légumes surgelée, Poêlée du marché La Champêtre (haricots verts, carottes, pois doux, champignons de Paris, oignons grelots), Bonduelle	40	4.8
Poêlée de légumes surgelée, Poêlée du marché La Jardinière (courgettes, pommes de terre, jeunes carottes, pois doux, oignons), Bonduelle	63	9.5

| grammes | | PORTION COURANTE | | |
LIPIDES (g)	PROTÉINES (g)	QUANTITÉ	GLUCIDES (g)	BAS/ MOD./ HAUT
1.4	1.8	150 g	7.35	◐
0.9	1.6	150 g	6.9	◐
2.3	2.2	150 g	7.4	◐
4.1	2.4	150 g	9	◐
3.4	2	150 g	13.8	●
1.5	1.7	150 g	10.5	●
0.7	2.3	150 g	7.2	◐
1.3	2.1	150 g	14.3	●

LÉGUMES

ALIMENTS	POUR 100	
	ENERGIE (kcal)	GLUCIDES (g)
Poêlée de légumes surgelée, Poêlée du Sud La Catalane (haricots verts plats, courgettes, poivrons rouges et jaunes, aubergines, oignons), Bonduelle	62	3.6
Poêlée de légumes surgelée, Poêlée du Sud La Méditerranéenne (aubergines, courgettes, pommes de terre, poivons rouges), Bonduelle	83	9.1
Poêlée de légumes surgelée, Poêlée du Sud La Romaine (haricots verts, chou romanesco, aubergines, poivrons rouges et jaunes, oignons), Bonduelle	62	3.1
Poêlée de légumes surgelée, Poêlée du Sud L'Italienne (courgettes, poivrons rouges et jaunes, aubergines), Bonduelle	87	10.6
Poêlée de légumes surgelée, Poêlée rustique La Parisienne (haricots verts, pommes de terre, carottes, champignons de Paris et lardons fumés), Bonduelle	95	8.5
Poêlée Parisienne à la graisse de canard, D'Aucy, conserve	64	6.9
Poêlée champignons à la Milanaise, Bonduelle, conserve	49	6
Poêlée champignons à la Normande, Bonduelle, conserve	69	2.5
Poêlée champignons de Paris & Girolles, Bonduelle, conserve	51	1.7
Poireaux à la crème, Bonduelle, surgelé	42	3.7
Pousses de haricots mungo, U, conserve	27	3.6
Pousses de Soja, Bonduelle, conserve	17	2.4
Printanière, Cassegrain, conserve	57	7.8

| grammes | | | PORTION COURANTE | | |
LIPIDES (g)	PROTÉINES (g)	QUANTITÉ	GLUCIDES (g)	BAS/ MOD./ HAUT
3.9	1.4	150 g	5.4	◑
3.7	1.8	150 g	13.7	●
3.9	1.7	150 g	4.7	○
3.3	2.5	150 g	15.9	●
4.5	3	150 g	12.8	●
2.8	1.8	145 g	10	●
1.3	2.2	100 g	6	◑
4.9	2	100 g	2.5	○
3.2	2.2	175 g	3	○
1.6	1.5	150 g	5.6	◑
0.3	1.9	90 g	3.24	○
0.1	1	90 g	2.2	○
0.6	3.1	132 g	10.3	●

ALIMENTS	POUR 100	
	ENERGIE (kcal)	GLUCIDES (g)
Purée de carottes, Saint Eloi, surgelé	44	5.5
Purée Délice 4 Saveurs, haricots verts, courgettes, épinards, pois doux, Bonduelle, surgelé	49	3.8
Purée Délice Duo Douceur, carottes, potiron, Bonduelle, surgelé	46	6.2
Purée Délice Gourmet de Céleris, Bonduelle	49	2.9
Purée Délice Si Tendre, choux-fleurs, pommes de terre, cèleris, Bonduelle, surgelé	37	4.9
Purée Délice Trio Vert, courgettes, brocolis, pois, Bonduelle, surgelé	55	5.3
Ratatouille cuisinée à la Provençale, Cassegrain, conserve	83	5.9
Salsifis, Bonduelle, conserve	27	4.9
Salsifis cuisinés, Cassegrain, conserve	28	4.8
Tajine de Carottes et Olives, Cassegrain, conserve	81	5.9
Tajine de Légumes Grillés, Cassegrain, conserve	100	6.8
SALADES MÉLANGÉES		
Salade et Crudités - Recette Croquante (chicorées, iceberg, chou blanc émincé, carotte râpée, betterave crue râpée), Bonduelle	25	3.8
Salade et Crudités - Recette Gourmande (chou chinois, mâche, chicorée rouge, radis en rondelles, roquette, betterave crue râpée), Bonduelle	22	2.7

grammes		PORTION COURANTE		
LIPIDES (g)	PROTÉINES (g)	QUANTITÉ	GLUCIDES (g)	BAS/ MOD./ HAUT
1.4	1.1	125 g	6.88	◑
2.1	2.2	150 g	5.7	◑
1	1.3	150 g	9.3	◑
2.6	1.8	150 g	4.4	○
0.8	1.4	150 g	7.4	◑
2.2	2.2	150 g	8	◑
5.1	1.5	186 g	11	●
<0.1	0.7	125 g	6.1	◑
0.1	0.9	132 g	6.3	◑
5.2	0.6	187 g	11	●
5.7	2.3	187 g	12.7	●
0.2	1	115 g	4.37	○
0.3	1.4	115 g	3.11	○

ALIMENTS	POUR 100	
	ENERGIE (kcal)	GLUCIDES (g)
Salades mélangées en sachet, 4 Saveurs Gourmandes (frisée, mâche, chicorée rouge, roquette), Bonduelle	22	2.5
Salades mélangées en sachet, Composée Croquante (scarole, frisée, iceberg, chicorée rouge), Bonduelle	20	2.9
Salades mélangées en sachet, Composée Tendre (feuille de chêne rouge, laitue rouge, laitue blonde), Bonduelle	19	1.9
Salades mélangées en sachet, Extra Gourmande (batavia, mâche, feuille de Chêne rouge, brins de betterave crue), Bonduelle	23	2.6
Salades mélangées en sachet, Feuille de Chêne & Roquette, Bonduelle	19,3	1.4
Salades mélangées en sachet, Iceberg & Ciboulette, Bonduelle	17	2.8
Salades mélangées en sachet, Jeunes Pousses, Bonduelle	20	1.7
Salades mélangées en sachet, Jeunes pousses & Roquette, Bonduelle	23	2.2
Salades mélangées en sachet, Jeunes Pousses Croquantes, Bonduelle	29	3.5
Salades mélangées en sachet, Laitue & Mâche, Bonduelle	19	2
Salades mélangées en sachet, Mâche & Betterave, Bonduelle	36	5.4
Salades mélangées en sachet, Mâche & Jeunes Pousses, Bonduelle	23	2.1

grammes		PORTION COURANTE		
LIPIDES (g)	PROTÉINES (g)	QUANTITÉ	GLUCIDES (g)	BAS/ MOD./ HAUT
0.3	1.5	50 g	1.25	●
0.1	1	50 g	1.45	●
0.3	1.4	50 g	0.95	●
0.4	1.4	50 g	1.3	●
0.5	1.5	50 g	0.7	●
0.1	0.6	50 g	1.4	●
<0.5	1.6	50 g	0.85	●
<0.5	1.8	50 g	1.1	●
0.7	1.7	50 g	1.75	●
0.3	1.3	50 g	1	●
<0.5	1.7	50 g	2.7	●
0.4	1.7	50 g	1.05	●

ALIMENTS	POUR 100	
	ENERGIE (kcal)	GLUCIDES (g)
Salades mélangées en sachet, Mâche & Roquette, Bonduelle	27	2.6
Salades mélangées en sachet, Mâche, Roquette & Duo de Carottes, Bonduelle	29	3.1
Salades mélangées en sachet, Mesclun, Bonduelle	22	1.7
Salades mélangées en sachet, Salade du Jour-Jeunes Pousses, Bonduelle	Variable	Variable
SALADES SNACKING		
Betterave à la moutarde à l'ancienne, Bonduelle, rayon frais	78	5.5
Betteraves, Salade de betteraves, Bonduelle, rayon frais	52	8
Carottes râpées, Auchan, rayon frais	78	5.5
Carottes râpées à la coriandre, Bonduelle, rayon frais	131	6.5
Carottes râpées à la moutarde à l'ancienne, Bonduelle, rayon frais	119	5
Carottes râpées au citron de Sicile, Bonduelle, rayon frais	77	5.5
Céleri à la moutarde à l'ancienne, Bonduelle, rayon frais	130	3
Céleri rémoulade, Pierre Martinet, rayon frais	131	3.5
Céleri rémoulade au fromage blanc, Bonduelle, rayon frais	145	4
Champignons à la crème & pommes de terre, Bonduelle, rayon frais	132	7
Chou émincé, carotte et concombre à la moutarde à l'ancienne, Bonduelle, rayon frais	184	13.5

grammes		PORTION COURANTE		
LIPIDES (g)	PROTÉINES (g)	QUANTITÉ	GLUCIDES (g)	BAS/ MOD./ HAUT
<0.5	2.2	50 g	1.3	●
0.5	1.8	50 g	1.55	●
<0.5	1.9	50 g	0.85	●
Variable	Variable	50 g	Variable	●
5	1.5	100 g	5.5	◑
1	1.5	130 g	10.4	●
5	1.5	100 g	5.5	◑
9.5	4	100 g	6.5	◑
10	1	100 g	5	◑
5	1	100 g	5.5	◑
12	1	100 g	3	○
12	1	100 g	3.5	○
13	2	100 g	4	○
8.5	6	100 g	7	◑
12	4.5	100 g	13.5	●

ALIMENTS	POUR 100	
	ENERGIE (kcal)	GLUCIDES (g)
Chou rouge, Salade de chou rouge, U, rayon frais	151	3
Chou rouge, Salade de Chou Rouge à la Moutarde, Bonduelle, rayon frais	112	6
Coleslaw à la moutarde à l'ancienne, Bonduelle, rayon frais	178	25
Coleslaw sauce douce, Bonduelle, rayon frais	135	7
Concombres au Fromage Blanc, Bonduelle, rayon frais	68	2
Salade crudités (salade, tomates, carottes, emmental, mimolette), Carrefour	119	2.3
Salades Snacking Bol Fraîcheur, Jambon, fromage, croûtons à l'ail, Bonduelle	174	21
Salades Snacking Bol Fraîcheur, jambon, fromage, tortis au pistou, Bonduelle	127	7
Salades Snacking Bol Fraîcheur, poulet grillé, tortis aux tomates sauce caesar, Bonduelle	127	7
Salades Snacking Bol Fraîcheur, salade caesar poulet grillé, croûtons à l'ail, Bonduelle	174	21
Salades Snacking Bol Fraîcheur, Surimi, crudités, sauce cocktail	171	13.5
Salade Snaking Formule salade + dessert au jambon, Bonduelle, rayon frais	151	16
Salade Snaking Formule salade + dessert au poulet grillé, Bonduelle, rayon frais	154	15
Salade Snaking Formule salade + dessert au poulet mariné, Bonduelle, rayon frais	173	13

| grammes | | PORTION COURANTE | | |
LIPIDES (g)	PROTÉINES (g)	QUANTITÉ	GLUCIDES (g)	BAS/ MOD./ HAUT
14.3	1.4	100 g	3	○
9	1	100 g	6	◑
6	5	100 g	25	●
11	1	100 g	7	◑
6	1	100 g	2	○
9.6	5.9	250 g	5.75	◑
7.5	4.5	240 g	50.4	●
9	3.5	240 g	16.8	●
9	3.5	240 g	16.8	●
7.5	4.5	240 g	50.4	●
10	6	240 g	32.4	●
7	5	400 g	64	●
7.5	5.5	400 g	60	●
10	6.5	355 g	46.2	●

LÉGUMES

ALIMENTS	ENERGIE (kcal)	GLUCIDES (g)
	POUR 100	
Salade Snaking Formule salade + dessert au thon, Bonduelle, rayon frais	140	17
Trio de crudités à l'échalote et au persil, Bonduelle, rayon frais	78	6
SOUPES ET POTAGES		
Délice de courgettes, bacon et chèvre, Liebig, brique	37	4.6
Délice de Légumes d'automne, Knorr, brique	50	5
Délice de Potiron, Knorr	50	5
Douceur à l'Italienne, tomates, mozzarella, Knorr, brique	75	6
Douceur d'asperges à la crème fraîche, Knorr, brique	30	4.5
Douceur d'automne à la crème fraîche, Knorr, brique	40	5
Douceur de courgettes au chèvre frais, Knorr, brique	45	5
Douceur d'épinards à la crème, ail et fines herbes, Knorr, brique	60	5
Douceur de légumes à la crème fraîche (pomme de terre, céleri, panais, poireau, oignon, haricots verts, petit pois, épinards), Knorr, brique	40	5
Douceur de 8 légumes à la crème fraîche (carotte, tomate, pomme de terre, potiron, oignon, poireau, petit pois, céleri), Knorr, brique	65	6
Douceur de légumes du soleil (tomate, aubergine, pomme de terre, oignon), Knorr, brique	45	4.5

grammes		PORTION COURANTE		
LIPIDES (g)	PROTÉINES (g)	QUANTITÉ	GLUCIDES (g)	BAS/ MOD./ HAUT
5.5	4.5	400 g	68	●
5	2	100 g	6	◑
1.3	1.3	300 ml	13.8	●
2.5	0.8	250 ml	13	●
2.5	0.8	250 ml	13	●
4.5	1	250 ml	15	●
1	0.6	250 ml	11	●
2	0.7	250 ml	13	●
2.5	0.9	250 ml	13	●
3.5	2	250 ml	13	●
1.5	1	250 ml	12.5	●
4.5	1	250 ml	14	●
2.5	1	250 ml	11	●

LÉGUMES

ALIMENTS	POUR 100	
	ENERGIE (kcal)	GLUCIDES (g)
Mouliné campagnard Bio (carotte, poireau, pommes de terre, chou-fleur, céleri rave, haricots verts), Bjorg, brique	34	5
Régal de légumes verts Bio (courgette, brocoli, oignon, épinards, carotte, poireau, haricots verts, céleri rave), Bjorg, brique	26	2.3
Secret de Grand-Mère, Au pistou et pâtes italiennes, Knorr, brique	30	2.5
Secret de Grand-Mère (carotte, poireau, haricots verts et oignons rissolés), Knorr, brique	25	4
Secret de Grand-Mère, Poule vermicelles aux petits légumes et morceaux de volaille, Knorr, brique	25	3
Secret de Grand-Mère, Potiron, carottes fondantes et pincée de romarin, Knorr, brique	50	4
Soupe forestière aux cèpes, Knorr, brique	45	4
Velouté de poireaux et de pommes de terre et pointe de crème, PurSoup' de Liebig, brique	47	4.8
Velouté de potiron à la crème fraîche, Knorr, brique	40	3.5
Soupe exotique, Soupe Indienne, Knorr, brique	40	4.5
Soupe exotique, Soupe Thaï, Knorr, brique	25	3.5
Soupe exotique, Soupe Vietnamienne, Knorr, brique	45	4.5

grammes		PORTION COURANTE		
LIPIDES (g)	PROTÉINES (g)	QUANTITÉ	GLUCIDES (g)	BAS/ MOD./ HAUT
1	0.5	250 ml	12.5	●
1.2	0.8	250 ml	5.75	◑
0.9	1.5	250 ml	6	◑
0.5	0.7	250 ml	10	●
1	1.5	250 ml	8	◑
2	0.6	250 ml	10	●
3	0.9	250 ml	10	●
2.5	1	300 ml	14.4	●
2	0.9	250 ml	9	◑
2	0.7	250 ml	11	●
0.7	2.5	250 ml	9	◑
2.5	0.7	250 ml	11	●

ALIMENTS	POUR 100	
	ENERGIE (kcal)	GLUCIDES (g)
Soupe oseille, cresson, PurSoup' de Liebig, brique	39.3	4.6
TOMATE EN SAUCE ET COULIS		
Tomate, chair de tomates nature, Notre jardin, Marque repère, conserve	40	8
Tomate, double concentré de tomates, Turini, Marque repère, conserve	90	15.6
Tomate, Le coulis de tomates, 100 % tomates d'été, Heinz, brique	37	7.1
Tomate, Sauce Italienne viande rôtie Zapetti, conserve	78	8
Tomate, Sauce tomate au basilic, Jean Martin	42	5.7
Tomate, Sauce tomate au basilic Bio, Jardin bio'	52	6.2
Tomate, Sauce tomate Boloballs barbecue, Panzani	89	9
Tomate, Sauce tomate Bolognaise, Barilla	77	4.5
Tomate, (La) Sauce tomate cuisinée ail et oignon, Heinz, brique	79	9.7
Tomate, (La) Sauce tomate cuisinée parmesan, Heinz, brique	77	9.2
Tomate, Sauce tomate Pesto di rosso, Barilla	344	15
Tomate, Sauce tomate Provençale, Panzani	58	8.1
Tomate, tomates entières pelées au jus, Marque repère, conserve	20	3
Tomates concassées fines, Polpa, Mutti, conserve	26	3.9

grammes		PORTION COURANTE		
LIPIDES (g)	PROTÉINES (g)	QUANTITÉ	GLUCIDES (g)	BAS/ MOD./ HAUT
1.8	0.8	300 ml	13.8	●
<1	1	100 g	8	◑
0.3	4.9	5 g	0.8	○
0.1	1.6	120 g	8.52	◑
3.5	3.5	120 g	9.6	◑
1.2	1.4	120 g	6.84	◑
1.7	1.6	120 g	7.44	◑
3.1	3.1	120 g	10.8	●
4	5	120 g	5.4	◑
3.6	1.4	120 g	11.64	●
3.6	1.5	120 g	11.04	●
29.5	3.5	120 g	18	●
2	1	120 g	9.72	◑
0.3	1	120 g	3.6	○
0.2	1.2	100 g	3.9	○

LÉGUMINEUSES ET PRODUITS DÉRIVÉS

ALIMENTS	POUR 100	
	ENERGIE (kcal)	GLUCIDES (g)
LÉGUMINEUSES		
Fèves, cuites	60.6	6
Flageolets, appertisés, égouttés	84.4	11.7
Haricots blancs, cuits	437	13.6
Haricots rouges, cuits	111	14.4
Lentilles cuites	112	16.6
Petits pois, cuits	70.8	8.3
Pois cassés, cuits	121	14
Pois chiches, cuits	139	21.1
Soja voir page 142 et page 188		
PLATS CUISINÉS À BASE DE LÉGUMINEUSES		
Cassoulet de Castelnaudary au canard, Rivière, conserve	143	10
Cassoulet Toulousain Raynal, conserve	123	8.6
Chili con Carne D'Aucy, timbale micro-ondable	134	17.7
Chili con Carne Zapetti, conserve	83	8.7
Flageolets cuisinés, Cassegrain, conserve	78	11.4
Lentilles saucisses, Monoprix, conserve	124	11
Lentilles cuisinées Raynal, conserve	88	7.7
Petits pois, D'Aucy bio, conserve	79	9.2
Petits pois doux préparés vapeur, Bonduelle, conserve	69	8.7
Petits pois doux et carottes préparés vapeur, Bonduelle, conserve	54	7.5

| grammes | | PORTION COURANTE | | |
LIPIDES (g)	PROTÉINES (g)	QUANTITÉ	GLUCIDES (g)	BAS/MOD./HAUT
0.8	5.1	150 g	9.1	◑
0.8	4.1	150 g	17.55	●
0.3	8.4	150 g	20.4	●
0.5	8.6	150 g	21.6	●
0.5	8.1	150 g	24.9	●
0.5	5.2	150 g	12.4	●
1.1	8.5	150 g	21	●
1.1	8.9	150 g	31.6	●
7.4	9	280 g	28	●
5	8.9	210 g	18.1	●
3.7	6.2	335 g	59.3	●
2.5	6.5	200 g	17.4	●
0.3	5	132 g	15	●
5.9	6.6	420 g	46.2	●
1.8	8.3	205 g	15.8	●
1.2	5.3	132.5 g	12.2	●
0.5	4.9	130 g	11.3	●
0.5	2.9	130 g	9.8	◑

LÉGUMINEUSES ET PRODUITS DÉRIVÉS

ALIMENTS	POUR 100	
	ENERGIE (kcal)	GLUCIDES (g)
Petits pois, Gourmandise de Pois à la Provençale, Cassegrain	64	6.5
Petits pois extra-fins à l'étuvée, Bonduelle, conserve	80	10.3
Petits pois extra-fins à l'étuvée, Notre jardin, marque repère, conserve	100	14
Petits Pois & Carottes Extra-Fins à l'Etuvée, Bonduelle, conserve	54	7.2
Petit pois, Le Petit Pois Extra Fondant, Gamme précuit vapeur, Bonduelle, surgelé	71	8.8
Purée de lentilles corail potiron, Bjorg	109	13.9
Purée de pois cassés courgettes bio, Bjorg	88	14.1

grammes		PORTION COURANTE		
LIPIDES (g)	PROTÉINES (g)	QUANTITÉ	GLUCIDES (g)	BAS/ MOD./ HAUT
2	2.7	187 g	12.2	●
0.7	4.9	140 g	14.4	●
1	5	140 g	19.6	●
0.5	2.9	130 g	9.4	◐
0.6	5.1	150 g	13.2	●
1.7	7.7	125 g	14.4	●
0.5	5.1	125 g	17.6	●

MATIÈRES GRASSES

ALIMENTS	POUR 100	
	ENERGIE (kcal)	GLUCIDES (g)
Beurre allégé, 60-62 % MG	562	0.6
Beurre de Barrate Biologique, Le Gall, Beurrier	743	0.6
Beurre de cacahuète ou pâte d'arachide	571	24.7
Beurre de cacao cru	900	0
Beurre demi-sel	732	<1
Beurre doux	745	<1
Beurre tendre léger, 41 % MG, Elle&Vire	394	6.1
Bridelight, 15 % MG	158	5.6
Clotted Cream, Tesco Finest	587	2.3
Corps gras végétal pour friture, en pain	900	0
Crème, La grande crème, Elle&Vire	317	2.9
Crème, Légère épaisse 12 % en poche, Elle&Vire	145	6.1
Crème, L'épaisse légère 4 % en poche, Elle&Vire	75	6.5
Crème de coco, Kara	174	2.5
Crème fleurette entière, Elle&Vire	292	3.1
Crème fraîche épaisse 30 % MG, Yoplait	292	2.9
Crème fraîche d'Issigny, Président	376	2.4
Crème liquide, La fluide et légère, Elle&Vire	74	6.4
Crème soja cuisine, Bjorg	190	3
Graisse de canard	898	0
Graisse d'oie	898	0

grammes		PORTION COURANTE		
LIPIDES (g)	PROTÉINES (g)	QUANTITÉ	GLUCIDES (g)	BAS/ MOD./ HAUT
61.2	2.1	15 g	0.09	●
82	0.7	15 g	0.09	●
28.7	25.1	15 g	3.71	●
100	0	15 g	0	●
80.8	0.7	15 g	traces	●
82.2	0.7	15 g	traces	●
41	0.2	15 g	0.91	●
15	0	15 g	0.84	●
63.5	1.6	30 g	0.7	●
100	0	15 g	0	●
33	2.2	30 g	0.9	●
12	3.1	30 g	1.8	●
4	3.1	30 g	1.9	●
24	2	30 ml	0.8	●
30	2.3	30 g	0.9	●
30.2	2.3	30 g	0.9	●
40	1.6	30 g	0.7	●
4	3.1	30 g	1.9	●
18	3.5	30 ml	0.9	●
99.8	0	15 g	0	●
99.8	0	15 g	0	●

MATIÈRES GRASSES

ALIMENTS	POUR 100	
	ENERGIE (kcal)	GLUCIDES (g)
Huile d'arachide	895	0
Huile d'argan	899	0
Huile d'avocat	900	0
Huile de coco (coprah)	900	0
Huile de colza	900	0
Huile de foie de morue	900	0
Huile de lin	885	0
Huile de maïs	897	0
Huile de noisette	900	0
Huile de noix	900	0
Huile d'olive vierge	899	0
Huile de paraffine	0	0
Huile de pépins de raisin	899	0
Huile de poisson	900	0
Huile de sésame	899	0
Huile de soja	899	0
Huile de tournesol	900	0
Huile isio 4	899	0
Lard gras cru	654	1
Margarine Fruit d'Or Oméga 3&6	540	< 0.5
Margarine Fruit d'Or pro-activ	560	0.1
Margarine Planta Fin demi-sel	544	0.5
Maragrine Planta Fin Tendre Mousse	354	1.6
Margarine Primevère au miel	552	14
Margarine Primevère Tartine	497	0.5

grammes		PORTION COURANTE		
LIPIDES (g)	PROTÉINES (g)	QUANTITÉ	GLUCIDES (g)	BAS/ MOD./ HAUT
99.4	0	15 ml	0	●
99.9	0	15 ml	0	●
100	0	15 ml	0	●
100	0	15 ml	0	●
100	0	15 ml	0	●
100	0	15 ml	0	●
98.3	0	15 ml	0	●
99.7	0	15 ml	0	●
100	0	15 ml	0	●
100	0	15 ml	0	●
99.9	0	15 ml	0	●
0	0	15 ml	0	●
99.9	0	15 ml	0	●
100	0	15 ml	0	●
99.9	0.07	15 ml	0	●
99.9	0	15 ml	0	●
100	0	15 ml	0	●
99.9	0	15 ml	0	●
69	7.36	15 g	0.15	●
60	< 0.5	15 g	0	●
62	0.1	15 g	0	●
60	< 0.5	15 g	0	●
39	< 0.5	15 g	0.24	●
55	0	15 g	2.1	●
55	0.1	15 g	0	●

MATIÈRES GRASSES

ALIMENTS	POUR 100	
	ENERGIE (kcal)	GLUCIDES (g)
Margarine St Hubert 5 céréales	494	8
Margarine St Hubert 41	370	5.6
Margarine St Hubert Oméga 3	487	0.1
Planta Fin Cuisine facile	670	< 0.5
Saindoux	900	0
Suif	852	0
Végétaline	900	0

grammes		PORTION COURANTE		
LIPIDES (g)	PROTÉINES (g)	QUANTITÉ	GLUCIDES (g)	BAS/ MOD./ HAUT
50	0	15 g	1.2	●
38	1.5	15 g	0.84	●
54	0.1	15 g	0	●
74	< 0.5	15 ml	0	●
100	0.06	15 g	0	●
94	1.5	15 g	0	●
100	0	15 g	0	●

ALIMENTS	POUR 100	
	ENERGIE (kcal)	GLUCIDES (g)
BISCUITS SUCRÉS		
Baiocchi, Mulino Bianco, Barilla	511	60
BelVita Brut de céréales, LU	445	67
BelVita Fruit et Fibres aux figues, LU	455	67
BelVita Pépites de chocolat, LU	460	70
Biscuits Matin Abricot, Casino	474	63
Biscuits Petit beurre	455	68.9
Biscuit Thé, LU	455	72.5
BN goût chocolat	467	68.6
BN goût fraise	406	75.5
BN Mini goût chocolat	489	67.5
BN P'tit Dèj Céréales & Pépites	469	66.5
BN P'tit Dèj Extra céréales	487	59.3
Brownie chocolat, Brossard	454	48
Cake aux fruits, Bjorg	440	51
Cake & Choc, Milka	420	55
Casse-croûte, BN	394	79.1
Chamonix, LU	350	78
Cookie Brownie, Brossard	459	48.7
Cookies, Pepperidge Farm	533	60.1
Cracotte craquinette fraise, LU	370	75
Crêpes chocolat Whaou	460	58
Crêpes dentelle de Bretagne nature, Itinéraire des Saveurs	471	73
Croc'cocottes, St Michel	527	58
Délichoc original chocolat noir, Delacre	485	66

grammes		PORTION COURANTE		
LIPIDES (g)	PROTÉINES (g)	QUANTITÉ	GLUCIDES (g)	BAS/ MOD./ HAUT
26	7.5	9 g	5.4	◐
15	7.9	12.5 g	8.4	◐
16	8.4	12.5 g	8.4	◐
16	7.5	12.5 g	8.7	◐
20	8	12.5 g	7.9	◐
17.8	5.5	8.3 g	5.7	◐
14	7.6	7 g	5.1	◐
17.5	6.7	20 g	13.7	●
8.4	5.4	20 g	15.1	●
21.6	6.1	9 g	6	◐
19.2	6.4	15 g	10	●
23.4	7.2	15 g	8.9	◐
25	7.3	30 g	14.4	●
24	5.7	37.5	19.1	●
21	5.4	35 g	19.2	●
4.9	7.1	15 g	11.9	●
1.9	4.3	12.5 g	9.75	◐
26.5	5.5	30 g	14.6	●
30.4	4.9	26 g	15.6	●
4.5	6.6	16.7 g	12.5	●
21.9	7.3	32 g	18.6	●
16.7	5.8	8.5 g	6.2	◐
29	7	25 g	14.5	●
21.3	5.3	12 g	7.9	◐

ALIMENTS	POUR 100	
	ENERGIE (kcal)	GLUCIDES (g)
Dinosaurus chocolat, LU	501	64
Fourré chocolat au lait, Bjorg	482	65
Gaufres liégeoises, Carrefour	456	54.9
Granola, chocolat au lait, LU	500	63
Granola chocolat noir, LU	515	63
Guet-Apens, LU	515	63
Kinder Pingui chocolat	446	38.4
La barquette de Lulu abricot, LU	350	77
La Coqueline de Lulu chocolat, LU	425	59
La paille d'Or aux framboises, LU	355	81
Le tartiné à la fraise Belvita	415	72.5
Lulu l'Ourson chocolat, LU	400	58.5
Lunettes à la fraise, Bjorg	442	69.7
Madeleines aux œufs extra frais, St Michel	453	59
Marbré au chocolat, Bonne Maman	456	46
Mikado au chocolat au lait, LU	455	67
Mini roulés chocolat Pépito, LU	380	54
Napolitain, LU	425	57
Nutri-grain chocolat, Kellogg's	487	63
Nutri-grain croustillant, Kellogg's	442	71
Oréo	480	70.5
Original McVitie's	471	62.8
Pain d'épices, Jardin Bio	342	81
Pain d'épices Prosper au lait, LU	340	74
Palmito l'Original, LU	540	56
Pépito au chocolat noir, LU	500	66

grammes		PORTION COURANTE		
LIPIDES (g)	PROTÉINES (g)	QUANTITÉ	GLUCIDES (g)	BAS/ MOD./ HAUT
23	6.4	19 g	12.1	●
20.6	7.3	25 g	16.2	●
23.1	5.8	55 g	30.2	●
24	7	12.5 g	7.9	◑
25	6.7	12.5 g	7.9	◑
26	6.1	10.5 g	6.6	◑
29.3	7.2	31 g	11.9	●
2.1	4.4	6.6 g	5.1	◑
19	5.5	6.9 g	4.1	○
1.1	4.5	42 g	34	●
24.5	7	16.6 g	12	●
15.5	6	30 g	17.5	●
15	5.9	50 g	34.9	●
21	6	15 g	8.9	◑
27	5.6	30 g	14	●
19	7.8	2 g	1.3	○
16	5.5	30 g	16.2	●
19	4.3	30 g	17.1	●
14	6	40 g	25.2	●
14	6	40 g	28.4	●
19.5	4.9	11 g	7.8	◑
21.3	7.1	16 g	10	●
0.7	3	30 g	24.3	●
2.7	3.5	30 g	22.2	●
32	5.7	8 g	4.5	○
22	7	10 g	6.6	◑

ALIMENTS	POUR 100	
	ENERGIE (kcal)	GLUCIDES (g)
Pépito Mini Rollos, LU	505	65
Pépito Pockitos chocolat au lait, LU	525	57
Petit Nature sans sucres, Gamme contrôle en sucres, Gayelord Hauser	430	75
Petit écolier chocolat fin, LU	505	62
Petits Carrés, Michel et Augustin	526	63.6
Petit cœur Choco'croc Pocket, LU	490	61
Petits sablés ronds et bons, Michel et Augustin	504	65
Pick'Up, Bahlsen	499	63
Pim's l'original framboise, LU	400	66
Pop corn salé micro-ondes, magnetron pop corn, Brut de coques	405	50.5
Prince Mini goût chocolat, LU	495	65
Prince multicéréales, LU	455	67
Prince Petit Déj céréales, LU	465	68
Quatre-Quarts, Ker Cadélac	432	48
Sablés Muesli & Epices, Céréal bio	479	62
Savane chocolat noir, Brossard	437	48
Tartelette framboise, Chabrior Bio	426	70.9
Tronche de cake, St Michel	477	52.6
Véritable petit beurre, LU	440	75
BISCUITS APÉRITIFS		
Ancel sticks, Dr. Oetcker	386	78.5
Bâtons fourrés gouda, Delacre	530	47
Chips à la crevette, Suzi Wan	530	61.6
Chips La Classique, Vico	540	45

grammes		PORTION COURANTE		
LIPIDES (g)	PROTÉINES (g)	QUANTITÉ	GLUCIDES (g)	BAS/ MOD./ HAUT
24	6.7	6 g	3.9	◯
30	5.3	30 g	17.1	●
14.6	7.1	29 g	21.9	●
25	6.1	13 g	8.1	◐
27.3	6.5	73 g	46.4	●
23	6.8	30 g	18.3	●
24	7	20 g	13	●
24	6.7	28 g	17.6	●
12.5	3.6	13 g	8.6	◐
16.8	8.5	90 g	45.5	●
22.5	6.4	7 g	4.5	◯
17	6.5	20 g	13.4	●
18	7	13 g	8.8	◐
24	6	20 g	9.6	◐
21	7.5	22 g	13.6	●
24	6.3	30 g	14.4	●
13.3	5.1	16 g	11.3	●
27	5.6	29 g	15.2	●
12	7.3	8 g	6	◐
2.9	11.4	30 g	23.5	●
34	10	30 g	14.1	●
30	2.2	30 g	18.5	●
36	5.5	30 g	13.5	●

ALIMENTS	POUR 100	
	ENERGIE (kcal)	GLUCIDES (g)
Chipster, Belin	449	62
Crousti Pom Nature, Vico	388	89
Croustillants épicés, Vico	540	57
Curly Balls cacahuètes, Lorenz	550	38
Doritos	495	62
Feuillety's, Kambly	544	54
Fritelle Bacon, Bénénuts	425	76
Gressin, Belin	415	64
Grissini sésame, Belin	405	64
Monster Munch au ketchup	465	62.3
Pop corn apéro, Bénénuts	490	49
Pringles original	522	51
Sablés chèvre romarin, Michel et Augustin	523	59.5
Triangolini, Belin	480	59
Tuc original, LU	490	63
Twinuts goût cheese, Bénénuts	540	45
PAINS, BISCOTTES		
American Sandwich 7 céréales Harrys, pain de mie	280	41
American Sandwich nature Harrys, pain de mie	275	50.3
Beau & Bon graines et céréales Harrys, pain de mie	298	40.1
Biscottes multicéréales, Carrefour	385	60
Carrément mie sans croûte nature Jacquet, pain de mie	263	50
Céréacol, Heudebert	390	67.5

grammes		PORTION COURANTE		
LIPIDES (g)	PROTÉINES (g)	QUANTITÉ	GLUCIDES (g)	BAS/ MOD./ HAUT
20	5.5	30 g	18.6	●
2.1	1.9	30 g	26.7	●
32	6	30 g	17.1	●
36	17	30 g	11.4	●
24	7	30 g	18.6	●
29	12	30 g	16.2	●
10	8	30 g	22.8	●
11	13	30 g	19.2	●
11	13	30 g	19.2	●
21.7	4.1	30 g	18.7	●
26	11	30 g	14.7	●
33.8	3.8	30 g	15.3	●
27	10.5	30 g	17.8	●
22	9.4	30 g	17.7	●
22	7.8	30 g	18.9	●
33	14	30 g	13.5	●
7.2	10	39.5 g	16	●
4.3	8	39.5 g	19.9	●
8.1	12.7	23.5 g	9.4	◗
8.5	14	8.7 g	5.2	◗
3	8	39 g	19.5	●
5.9	12.5	10 g	6.7	◗

ALIMENTS	POUR 100	
	ENERGIE (kcal)	GLUCIDES (g)
Cracotte, LU	374	75
Cracotte Craquinette fraise, LU	370	75
Crousti Moelleux nature Jacquet, pain de mie	275	53
Demi-baguettes, Casino Bio, pain emballé	244	50
Krisprolls sans sucre ajouté	370	65
Les Grilletines multicéréales Pasquier	425	52
Maxi Jac'complet, Jacquet, pain de mie	241	44
Pain baguette	283	58
Pain Boule Bio Carrefour	237	48
Pain aux noix Poilâne	291	36.6
Pain complet au levain	246	50
Pain de seigle Poilâne	158	46
Pain multicéréales Le Pérène	274	51
Pain de mie complet Weight Watchers	198	37.3
Pain des Fleurs, cracottes au sarrasin bio	375	70.6
Petits pains grillés gourmands, Carrefour	413	71
Wasa fibres, Wasa	350	48
PÂTISSERIES		
Baba au rhum	234	29.9
Biscuit de Savoie	311	68.3
Bûche de Noël patissière	320	30.7
Canelé	303	62.7
Chou à la crème (chantilly ou patissière)	301	32.2
Corne de gazelle (pâtisserie orientale)	471	59.3
Eclair	302	38.4
Galette des rois feuilletée (fourrée frangipane)	456	35.7

LIPIDES (g)	PROTÉINES (g)	QUANTITÉ	GLUCIDES (g)	BAS/MOD./HAUT
grammes		PORTION COURANTE		
2.9	11.4	7 g	5.2	◐
6.9	5.5	17 g	12.7	●
3	7.5	39 g	20.7	●
0.3	8.6	20 g	10	●
7	12	13 g	8.45	◐
15.5	14	12.5 g	6.5	◐
2.5	11	39 g	17.2	●
1.8	8.5	20 g	11.6	●
1.2	8.6	20 g	9,6	◐
9.2	13.5	20 g	7.3	◐
1.2	8.3	20 g	10	●
1.2	10	20 g	9.2	◐
3.2	8.5	20 g	10.2	●
0.5	8.1	24 g	8.95	◐
3	13.5	15 g	10.6	●
9	9.5	12.5 g	8.88	◐
6.5	13	10 g	4.8	○
8.8	3.2	50 g	14.9	●
0.8	5.9	40 g	27.3	●
19.7	4.2	40 g	12.3	●
3.2	4.4	30 g	18.8	●
16.8	4.4	60 g	19.3	●
22.1	8.5	20 g	11.9	●
14	4.7	100 g	38.4	●
30.4	8.8	40 g	14.2	●

ALIMENTS	POUR 100	
	ENERGIE (kcal)	GLUCIDES (g)
Gâteau au fromage frais ou cheese cake	350	31.1
Gâteau mi-cuit au chocolat ou moelleux au chocolat	459	45.5
Macaron moelleux fourré à la confiture ou à la crème	436	58.7
Mille-feuille	293	39.4
Pâtisseries aux fruits voir page 72		
VIENNOISERIES		
Beignet aux fruits	297	31.5
Beignet nature	400	42.8
Brioche Les Tortis au sucre perlé, Harry's	379	53.8
Brioche Mouna, Les Délices Dauphinois	392	53
Brioche tranchée light, Harry's	320	51.9
Brioche tressée, Pasquier	350	47
Chausson aux pommes	254	37.1
Chinois, La Fournée Dorée	277	48.8
Chouquette	395	38.7
Croissant au beurre, artisanal	437	42.7
Croissants au levain Pasquier	419	48.7
Fougasse, garnie	317	41.8
La Gâche, La Fournée Dorée	363	49.9
Pain au chocolat, artisanal	411	47.4
Pain aux raisins	342	50.9
Pains au chocolat, Pasquier	402	45.5
Pain au lait, artisanal	390	42.9
Viennoiseries croustillantes, Heudebert	455	63

LIPIDES (g)	PROTÉINES (g)	QUANTITÉ	GLUCIDES (g)	BAS/ MOD./ HAUT
22.5	5.16	40 g	12.4	●
27.5	6.59	40 g	18.2	●
17.9	8.55	25 g	14.7	●
13.1	4.2	60 g	23.6	●
16.1	5.3	60 g	18.9	●
22.1	6.35	60 g	25.7	●
14	8	35 g	18.8	●
16	9	40 g	21.2	●
7.8	9	28 g	14.5	●
14	8.5	30 g	14.1	●
8.7	7.4	120 g	44.5	●
6	5.6	50 g	24.4	●
21.8	9.3	10 g	3.9	○
25.1	8.5	80 g	34.2	●
21.7	7.2	40 g	19.5	●
11.6	9.7	40 g	16.7	●
14.9	7.7	31.5 g	15.7	●
21.1	6.9	80 g	38	●
11.8	7	120 g	61.1	●
21.7	6.2	45 g	20.5	●
18.6	10.2	50 g	21.5	●
16	11	13 g	8.2	◑

The header spans: **grammes** | **PORTION COURANTE**

POMME DE TERRE ET PRODUITS DÉRIVÉS

ALIMENTS	ENERGIE (kcal)	GLUCIDES (g)
POMME DE TERRE		
Patate douce, cuite	79.1	16.3
Pomme de terre primeur, cuite à l'eau, sans peau	87.7	18.8
Pomme de terre Agata cuite à l'eau sans la peau	57.9	13.54
Pomme de terre Charlotte du commerce cuite à l'eau avec la peau	66.7	14.7
Pomme de terre Charlotte du commerce cuite à l'eau sans peau	73	16.9
Pomme de terre Charlotte du commerce cuite au micro-ondes sans peau	103.3	23.5
Pomme de terre Charlotte du commerce cuite à la poêle (avec mat. grasses) sans peau	142	18.5
Pomme de terre Bintje cuite au four sans peau	99.6	21.57
Pomme de terre Bintje en purée (à l'eau)	82.6	17.2
Taro cuit	112	26
PLATS CUISINÉS À BASE DE POMME DE TERRE		
Aligot de l'Aubrac, surgelé	181	10
Chips nature Lay	555	54
Chips Vico extra craquantes ondulées nature	540	45
Crousti'Express Findus, surgelé	240	28
Frites au four, Pom'Liss, Marque repère, surgelé	180	28
Frit'up, MacCain, surgelé	245	33.5

POUR 100

grammes		PORTION COURANTE		
LIPIDES (g)	PROTÉINES (g)	QUANTITÉ	GLUCIDES (g)	BAS/ MOD./ HAUT
0.14	1.7	150 g	24.4	●
0.1	1.8	150 g	28.2	●
0.1	1.97	150 g	20.3	●
0.14	1.63	150 g	22	●
< 0.1	1.33	150 g	25.3	●
0.16	1.95	150 g	35.2	●
6.6	2.13	150 g	27.7	●
< 0.1	3.33	150 g	32.3	●
0.23	2.93	150 g	25.8	●
0.2	1.5	150 g	39	●
12.7	6.6	300 g	30 g	●
34	6.5	30 g	16.2	●
36	5.5	30 g	13.5	●
13	4	90 g	25.2	●
6	2.5	150 g	42	●
10	3.5	90 g	30.1	●

POMME DE TERRE ET PRODUITS DÉRIVÉS

ALIMENTS	POUR 100	
	ENERGIE (kcal)	GLUCIDES (g)
Gnocchi aux pommes de terre, pâtes fraîches, Lustucru	175	37
Gratin dauphinois	110	12.3
Gratin de poisson Purée, Weight Watchers, surgelé	71	10.2
Hachis Parmentier, Maggi, surgelé	107	11.5
Hachis Parmentier, Monoprix, surgelé	145	12
Mini croquettes McCain, surgelé	207	27
Original potatoes, McCain, surgelé	149	22.5
Pommes Croustine, Findus, surgelé	85	18
Pommes dauphine, Auchan, surgelé	270	23
Pommes de terre à la landaise, Picard, surgelé	266	25.8
Pommes rissolées, Findus, surgelé	140	21
Purée, flocons de purée de pommes de terre, Mousline, Maggi	346	74.3
Rosty's Mc Cain, surgelé	182	25.5
Tartiflette	144	12.5
Tartiflette Itinéraire des Saveurs, rayon frais	164	10.9
Tartiflette, William Saurin, épicerie salée	91	11.3

| grammes | | PORTION COURANTE | | |
LIPIDES (g)	PROTÉINES (g)	QUANTITÉ	GLUCIDES (g)	BAS/ MOD./ HAUT
0.7	5	126.7 g	46.9	●
4.9	3.07	150 g	18.4	●
1.9	4.8	300 g	30.6	●
3.9	6.3	250 g	28.7	●
8.4	5.3	300 g	36	●
9	4.5	125 g	33.7	●
5	2.5	125 g	28.1	●
0.3	1.5	140 g	25.2	●
17	4.5	125 g	28.7	●
15.8	3.5	125 g	32.3	●
4.5	2.5	150 g	12	●
0.7	7.4	31.25 g	23.2	●
8	2	133 .3 g	34	●
8.2	4.67	200 g	25	●
10	6.5	300 g	32.7	●
3.8	3	350 g	39.5	●

ALIMENTS	POUR 100	
	ENERGIE (kcal)	GLUCIDES (g)
Beurre voir page 120		
Crème fraîche voir page 120		
LAITS ET BOISSONS VÉGÉTALES		
Boisson de riz Bio, Bjorg	55	11
Boisson gourmande amandes-noisettes Bio, Bjorg	55	7
Boisson gourmande choco-noisettes Bio, Bjorg	98	14
Boisson soja chocolat bio, Bjorg	74	8.5
Boisson soja chocolat, Sojasun	71	9.4
Boisson soja saveur vanille, Sojasun	47	3.8
Candy'up chocolat, Candia	62	10.7
Lactel Max chocolat, Lactel	65	11.8
Lait concentré non sucré, Régilait, conserve	553	10.1
Lait d'amande bio sans sucres ajoutés, Bjorg	28	1.9
Lait de brebis entier	98	5.2
Lait de chèvre entier cru	58	4
Lait de coco stérilisé UHT, Tables du monde, Marque Repère	167	2
Lait sans lactose UHT, demi-écrémé, Minus L	47	4.9
Lait sans lactose UHT, écrémé, Minus L	67	4.8
Lait standard UHT, demi-écrémé	46.3	4.83
Lait standard UHT, écrémé	31.8	4.32
Lait standard UHT, entier	64.9	4.67

grammes		PORTION COURANTE		
LIPIDES (g)	PROTÉINES (g)	QUANTITÉ	GLUCIDES (g)	BAS/ MOD./ HAUT
1	0.2	125 ml	13.7	●
2.5	0.8	125 ml	8.7	◗
4.2	0.9	125 ml	17.5	●
2.5	3.8	125 ml	10.6	●
2	3.4	125 ml	11.7	●
1.9	3.4	125 ml	4.7	○
1	2.4	125 ml	13.4	●
1	2	125 ml	14.7	●
7.5	6.1	160 ml	17.1	●
1.9	0.7	125 ml	2.4	○
6.3	5	125 ml	6.5	◗
3.2	3.2	125 ml	5	◗
17	1.6	125 ml	2.5	○
1.5	3.4	125 ml	6.1	◗
3.8	3.3	125 ml	6	◗
1.53	3.3	125 ml	6	◗
0.15	3.28	125 ml	5.4	◗
3.71	3.2	125 ml	5.8	◗

ALIMENTS	POUR 100	
	ENERGIE (kcal)	GLUCIDES (g)
Lait stérilisé U.H.T. Demi-écrémé, Vallée du Lot, Bleu Blanc Cœur	46	4.80
YAOURTS À BOIRE		
Actimel fraises 0 %, Danone	31	3.7
Actimel nature sucré, Danone	71	10.5
Actimel vitamine C	71	11.9
Activia nature à verser, Danone	51	5.1
Candy'up chocolat, Candia	61	10.7
Danacol 0 %, Danone	42	4.4
Gervais à boire aux fraises, Danone	78	13.5
Lait fermenté à boire LK, Auchan	69	10.5
Lait fermenté sucré nature, Déli'up	65	10
Les Slurps de Frutos, Yoplait	97	13.3
Mini yop fraise, Yoplait	77	12.4
Tropical, Oasis	70	11.1
Vache à boire, moyenne, Michel et Augustin	80	11
Yakult	66	14.7
Yakult Light	42	10.15
Yakult Plus	66	14.7
Yaourt à boire vanille, Michel et Augustin	88	11.5
YAOURTS NATURE OU VANILLE		
Caillé pur brebis vanille, Le Petit Basque	118	9.2
Faisselle, Rians	84	3.5
Fjord, Danone	489	3.9

grammes		PORTION COURANTE		
LIPIDES (g)	PROTÉINES (g)	QUANTITÉ	GLUCIDES (g)	BAS/ MOD./ HAUT
1.55	3.20	125 ml	6	◖
0.1	2.7	100 g	3.7	○
1.6	2.8	100 g	10.5	●
1.5	2.5	100 g	11.9	●
1.7	3.9	100 g	5.1	◖
1	2.4	200 ml	21.4	●
1.1	3.3	100 g	4.4	○
1.4	2.8	100 g	13.5	●
1.6	3.1	125 ml	13.1	●
1.5	3	100 g	10	●
3	3.2	80 g	10.6	●
1.3	2.8	180 g	22.3	●
1.5	2.8	160 g	17.7	●
3	3	100 g	11	●
<0.1	1.3	65 ml	9.6	◖
<0.1	1.38	65 ml	6.6	◖
<0.1	1.4	65 ml	7	◖
3.4	3	100 g	11.5	●
6.8	5	125 g	11.5	●
6	4	100 g	3.5	○
10	3.1	125 g	4.8	○

ALIMENTS	POUR 100	
	ENERGIE (kcal)	GLUCIDES (g)
Fromage blanc, Câlin Yoplait	78	5.4
Fromage blanc 20 % MG, Jockey Danone	77	3.8
Fromage frais nature, Petit Yoplait	84	3.1
Mousse de yaourt, Gervita Danone	135	3.8
Petit suisse	134	3.3
Yaourt à la grecque, Ilios Danone	120	3.6
Yaourt à la grecque nature, Nestlé	125	5
Yaourt à la vanille, au lait entier, Bio village, Marque repère	100	15
Yaourt à la vanille, La laitière	93	13.3
Yaourt nature, Activia, Danone	62	4.4
Yaourt nature, Activia le dessert nature, Danone	78	6
Yaourt bio brassé nature, Le très nature, Les 2 vaches	69	5.2
Yaourt nature, Le yaourt nature, Danone	53	7.1
Yaourt nature au lait entier, La laitière Nestlé	67	4.7
Yaourt nature, Velouté nature, Danone	76	6.6
Yaourt Sveltesse Vanille Ferme et Fondant, Nestlé	52	5.8
Yaourt au lait de chèvre, Soignon	80	5.8
YAOURTS AUX FRUITS		
Activia abricot, Danone	94	12.9
Activia fruits panaché, Danone	94	12.9
Activia saveur citron, Danone	96	13.2

grammes		PORTION COURANTE		
LIPIDES (g)	PROTÉINES (g)	QUANTITÉ	GLUCIDES (g)	BAS/ MOD./ HAUT
3.2	6.9	90 g	4.8	○
3.4	7.7	90 g	3.4	○
3.6	9.7	60 g	1.8	○
10.3	6.9	100 g	3.8	○
8.8	9.7	60 g	2	○
10	3.8	150 g	5.4	◑
9.5	4.1	150 g	7.5	◑
3	3.5	125 g	19	●
3	3.1	125 g	16.6	●
3.4	3.4	125 g	5.5	◑
3.5	5.6	125 g	7.5	◑
3.5	4.1	115 g	5.9	◑
1	3.9	125 g	8.8	◑
3.3	3.9	125 g	5.8	◑
3.5	4.5	125 g	8.2	◑
0.15	5.7	125 g	7.2	◑
5	2.9	125 g	7.2	◑
3.2	3.4	125 g	16.1	●
3.2	3.4	125 g	16.1	●
3.1	3.7	125 g	16.5	●

147

PRODUITS LAITIERS ET SUBSTITUTS

ALIMENTS	POUR 100	
	ENERGIE (kcal)	GLUCIDES (g)
Fromage blanc fraise, Taillefine	52	6.2
Gervais aux fruits, Danone	95	12.5
Gervita fraise melba, Danone	94	14.4
Les p'tits Miam, Les 2 vaches, Danone	98	12.3
Nature sur fruits Panier de Yoplait	96	18.3
Panier de yoplait pêche, yoplait	99	14.5
Petit filou, Yoplait	94	12.3
Velouté fruix framboise, Danone	95	13.7
Yaourt aromatisé Frutos, Yoplait	74	12.1
Yaourt aromatisé, La Laitière	96	13.4
Yaourt aux fruits 0 %, Taillefine, Danone	49	7.3
Yaourts aux fruits, yaourt framboise, Les 2 vaches, Danone	94	12.8
Yaourt aux fruits, yaourt framboise, Mamie Nova	101	15.7
Yaourt aux fruits, Weight Watchers	40	5.1
Yaourt confiture de fraise, Bonne maman	111	16
Yaourt fraise et smarties, Nestlé	148	20.5
Yaourt fraise, Swiss Délice	141	15
YAOURTS AU SOJA		
Sojasun abricot goyave	76	10.3
Sojasun café	86	13.9
Sojasun caramel	92	15.9
Sojasun chocolat	109	18.8
Sojasun citron	77	11

grammes		PORTION COURANTE		
LIPIDES (g)	PROTÉINES (g)	QUANTITÉ	GLUCIDES (g)	BAS/ MOD./ HAUT
0.1	6.5	120 g	7.44	◗
2	6.6	50 g	6.3	◗
2.2	4.1	100 g	14.4	●
2.6	6.1	45 g	5.5	◗
1.3	2.7	125 g	22.8	●
2.6	3.2	125 g	18.1	●
2.3	5.3	50 g	6.1	◖
2.9	3.6	125 g	17.1	●
0.9	3.4	125 g	15.1	●
3	3.1	125 g	16.7	●
0.1	4.5	125 g	9.1	◗
3.1	3.7	115 g	14.7	●
2.4	3.7	150 g	23.5	●
0.1	4	125 g	6.4	◗
4.1	2.3	125 g	20	●
5.6	3.8	120 g	24.6	●
8	2.5	125 g	18.7	●
2.1	3.7	100 g	10.3	●
1.8	3.7	100 g	13.9	●
1.7	3	100 g	15.9	●
2	3.5	100 g	18.8	●
2	3.7	100 g	11	●

ALIMENTS	POUR 100	
	ENERGIE (kcal)	GLUCIDES (g)
Sojasun figues	81	10.8
Sojasun framboise passion	85	11.8
Sojasun muesli et fruits	87	11
Sojasun myrtilles	76	10.5
Sojasun nature	46	0.7
Sojasun noisettes amandes	100	14.5
Sojasun vanille	83	13.4
CRÈMES DESSERT		
Amandine aux poires, La Laitière	232	34.8
Clafoutis aux cerises, La Laitière	223	28.8
Crème anglaise à la vanille bourbon, stérilisée UHT, Elle&Vire	102	15.1
Crème au café, La Laitière	190	18.9
Crème aux œufs saveur vanille, La Laitière, Nestlé	172	18.9
Crème brûlée, Elle&Vire	191	17.2
Crème dessert chocolat Bio, Les 2 vaches	144	21.3
Crème dessert vanille Bio, Les 2 vaches	148	20
Danette crousti vanille, Danone	138	21.1
Danette Extra Noir, Danone	125	19.2
Danette saveur vanille, Danone	112	17.9
Danette mousse liégeoise chocolat, Danone	89	12.5
Duetto chocolat, Weight watchers	117	18.4
Feuilleté de mousse vanille, La Laitière	221	17.9

grammes		PORTION COURANTE		
LIPIDES (g)	PROTÉINES (g)	QUANTITÉ	GLUCIDES (g)	BAS/ MOD./ HAUT
2.1	3.7	100 g	10.8	●
2.1	3.7	100 g	11.8	●
2.6	3.8	100 g	11	●
2.1	3.7	100 g	10.5	●
2.7	4.6	100 g	0.7	○
3	3.4	100 g	14.5	●
1.8	3.2	100 g	13.4	●
7.8	4.9	85 g	29.6	●
9.7	5.1	85 g	24.48	●
3.2	3.1	80 g	12.08	●
10.8	4.1	100 g	18.8	●
8.6	4.9	100 g	18.9	●
12.5	2.4	90 g	15.48	●
5	3.5	95 g	20.24	●
6	3.6	95 g	19	●
4.3	3.5	125 g	26.4	●
3.7	3.7	125 g	24	●
3	3.2	125 g	22.38	●
2.9	3.3	80 g	10	●
2.8	4.4	90 g	16.56	●
14.5	4.3	57 g	10.2	●

ALIMENTS	POUR 100	
	ENERGIE (kcal)	GLUCIDES (g)
Flanby, Nestlé	100	20.2
Gourmand au chocolat, Mamie Nova	153	16.3
Île fondante, Weight Watchers	105	18.3
Le Viennois Chocolat, Nestlé	160	18
Maronsui's, La Laitière	258	35.7
Mousse de marron, Le petit Basque	261	25
Mousse de viennois chocolat, Nestlé	193	19.9
Petit Nesquik chocolat, Nestlé	209	26.6
Riz au lait Mont Blanc	113	20.7
Secret de mousse chocolat, La Laitière	179	24.6
Semoule au lait Saveur Vanille, La Laitière	120	18.9
Sveltesse, Ferme et fondant Chocolat Noir, Nestlé	76	11.5
Yaourt Kit Kat, Nestlé	155	19
FROMAGES		
Apericub Cocktail, Bel	271	5
Bâtonnet de fromage, Ficello	314	2.5
Bâtonnet Kidiboo, P'tit Louis	235	3.2
Beaufort	393	3.7
Bleu d'Auvergne	341	1.4
Brie, Pointe de Brie, Président	360	traces
Camembert	300	0
Cancoillotte	127	1
Cantal	387	6

grammes		PORTION COURANTE		
LIPIDES (g)	PROTÉINES (g)	QUANTITÉ	GLUCIDES (g)	BAS/ MOD./ HAUT
0.8	3	100 g	20.2	●
8.1	3.6	150 g	24.45	●
2.2	2.9	101 g	18.5	●
8.5	3.2	100 g	18	●
11.2	1.9	115 g	41.1	●
17	2	89 g	22.25	●
10.8	3.6	90 g	17.9	●
9.3	4.6	60 g	15.96	●
2.2	2.4	125 g	25.8	●
6.8	4.6	66 g	16.24	●
3.7	2.8	115 g	21.7	●
0.8	4.1	125 g	14.38	●
6.7	4.5	120 g	22.8	●
23	11	5 g	0.2	○
23	24	21 g	0.5	○
22	6	20 g	0.6	○
30.3	26.6	30 g	1.1	○
28.4	19.8	30 g	0.42	○
32	18	30 g	traces	○
24	20	30 g	0	○
6.2	15	30 g	0.3	○
30	23	30 g	1.8	○

PRODUITS LAITIERS ET SUBSTITUTS

ALIMENTS	POUR 100	
	ENERGIE (kcal)	GLUCIDES (g)
Carré de l'Est	300	traces
Carré frais, Elle&Vire	215	2.5
Cheddar rouge en tranches, Carrefour	400	0
Chèvre, affiné	329	2
Chèvre, frais	236	2.05
Comté	398	0
Coulommiers, Président	256	traces
Croque' Emmental Président	233	7
Crottin de Chavignol	331	1.25
Edam	312	0
Emmental	380	0
Emmental râpé fondant, Président	369	<1
Feta de brebis	272	1.4
Fourme d'Ambert	353	4.1
Fromage de chèvre sec	452	0
Fromage des Pyrénées au lait de brebis	403	1.15
Gorgonzola	360	0.1
Gouda	363	0
Hamburger, fromage fonfu au cheddar, tranches, Les croisées	242	6
Kiri	310	2
Kiri Goûter	293	22
La Vache qui rit	239	6
Maroilles	348	0
Mascarpone, Galbani, Santa Lucia	412	4.8

grammes		PORTION COURANTE		
LIPIDES (g)	PROTÉINES (g)	QUANTITÉ	GLUCIDES (g)	BAS/ MOD./ HAUT
24	21	30 g	0	○
17.5	12	25 g	0.6	○
34	26	30 g	0	○
26.4	20.8	30 g	0.6	○
18.3	14.5	30 g	0.62	○
31	29	30 g	0	○
20	19	30 g	traces	○
17	13	20 g	1.4	○
26.9	19.7	30 g	0.38	○
20.5	32.6	30 g	0	○
28	27	30 g	0	○
29	27	30 g	<1	○
22.4	15.5	30 g	0.42	○
28.5	19.8	30 g	1.2	○
35	30.5	30 g	0	○
33.6	24.5	30 g	0.3	○
31.2	19.4	30 g	0	○
29.9	24	30 g	0	○
18	14	20 g	1.2	○
29.5	9	20 g	0.4	○
19	8	175 g	38.5	●
19	11	16.7 g	1	○
26.4	28.2	30 g	0	○
41.5	4.8	125 g	6	◑

PRODUITS LAITIERS ET SUBSTITUTS

ALIMENTS	POUR 100	
	ENERGIE (kcal)	GLUCIDES (g)
Mimolette	329	0
Morbier	347	3.14
Mozzarelle au lait de bufflone, Monoprix Bio	285	1
Mini babybel à l'emmental	317	<1
Mozzarella Galbani, Santa Lucia	251	2
Munster	368	0
Parmesan	445	4.06
Pélardon	352	0.85
Pecorino romano, AOP, râpé	394	<1
Port Salut	331	0.57
P'tit Louis	244	3.5
Raclette classique, Emmi	345	1
Reblochon	322	0
Roquefort	375	0
Rondelé ail de Garonne et fines herbes, Président	304	2.4
Rouy	335	1
Saint Marcellin	283	1
Sainte Maure	344	1.1
Saint Morêt	200	3
Saint Nectaire	341	0
Tomme de Savoie	361	0.2
Vacherin Mont d'Or	288	0.7

grammes		PORTION COURANTE		
LIPIDES (g)	PROTÉINES (g)	QUANTITÉ	GLUCIDES (g)	BAS/ MOD./ HAUT
25.7	24.9	30 g	0	●
26.9	23.6	30 g	0.9	●
25	14	125	1.2	●
25	23	22 g	traces	●
19	18	125 g	2.5	●
30	23	30 g	0	●
28.6	38.4	30 g	1.2	●
27.8	23.8	30 g	0.25	●
32	26	30 g	traces	●
26.1	23.8	30 g	0.1	●
22.9	5.4	20 g	0.7	●
27	25	25 g	0.25	●
27	20	30 g	0	●
32.1	19.1	30 g	0	●
30	6	20.8 g	0.5	●
27	22.5	30 g	0.3	●
25.4	12.7	30 g	0.3	●
28.2	21.8	30 g	0.3	●
17.5	8.3	30 g	0.9	●
28	23	30 g	0	●
30	22.6	30 g	0	●
24	17.6	30 g	0.2	●

ALIMENTS	POUR 100	
	ENERGIE (kcal)	GLUCIDES (g)
CONDIMENTS		
Achards de citron, Le coq noir	122	12.7
Citrons Beldis (citrons confits au sel), Le cop noir	39	7.1
Cornichons Aigre Doux, Carrefour	32	6.5
Cornichons Extra Fin, Maille	15	1.5
Cornichons Malossol à la Russe, Maille	24	4.1
Crème d'ail, Le coq noir	304	5.1
Raifort, Le coq noir	211	5.7
SAUCES		
Amande cuisine Bio, Bjorg	101	1.5
American sauce, Heinz	1669	17
Avoine cuisine Bio, Bjorg	71	2.6
Barbecue, sauce, Heinz	585	32.2
Barbecue sauce, sauce, Heinz	609	34
Crème de yuzu, Le coq noir	165	9.2
Curry de légumes Uncle Bens	71	9
Hot chili sauce, Heinz	459	25
Hot sauce garlic, Heinz	189	7.9
Hot sauce green Jalapeno, Heinz	189	9.2
Hot sauce yellow habanero, Heinz	213	10.6
HP brown sauce, Heinz	507	27.1
Ketchup Bio, Heinz	507	27.3
Ketchup culinaire ail grillé, Heinz	485	26
Ketchup culinaire ail basilic, Heinz	470	25
Ketchup Hot, Heinz	103	24.1

| grammes | | PORTION COURANTE | | |
LIPIDES (g)	PROTÉINES (g)	QUANTITÉ	GLUCIDES (g)	BAS/ MOD./ HAUT
10.8	1	15 g	1.91	●
0.7	0.9	50 g	3.55	●
0	1	20 g	1.3	●
0.5	1	10 g	0.15	●
0	1	20 g	0.82	●
28.1	3.9	15 g	0.77	●
19	2.2	15 g	0.86	●
9.2	1.2	15 ml	0.23	●
37	1.7	15 g	2.55	●
6.3	NC	15 ml	0.39	●
0.1	1	15 g	4.83	●
0.2	0.8	15 g	5.1	◐
13.3	0.7	30 g	2.76	●
3.4	0.9	120 g	10.8	●
0.1	1.2	15 g	3.75	●
0.2	1.8	15 g	1.19	●
0.2	1	15 g	1.38	●
0.1	0.9	15 g	1.59	●
0.2	1.1	15 g	4.07	●
0.1	1.2	15 g	4.1	●
0.2	1.4	15 g	3.9	●
0.1	1.4	15 g	3.75	●
0.1	0.9	15 g	3.62	●

ALIMENTS	POUR 100	
	ENERGIE (kcal)	GLUCIDES (g)
Ketchup light, Heinz	315	24.1
Ketchup nature, Amora	100	24
Ketchup Plaisr +, Amora	55	12
Ketchup, P'tit Heinz Ketchup, Heinz	315	16.7
Ketchup, Tomato Ketchup, Heinz	440	24.1
LP Worstershire sauce, Heinz	392	22.2
Mayonnaise de Dijon, Amora	670	2.5
Mayonnaise Plaisir & Légèreté, Amora	280	7
Mayonnaise Recette Fouettée, Amora	720	1.5
Moutarde Douce, Amora	230	7
Moutarde Extra forte, Amora	170	6
Moutarde Fine et Forte, Amora	160	6
Moutarde Mi-Forte Amora	280	5
Nuoc mam	54	5.9
Pâte pour curry, Le cop noir	233	16.2
Pesto vert	517	6.4
Sachets cuisson, Cuisson au four, Poulet au Thym & Citron, Knorr	300	45
Sachets cuisson, Cuisson en papillote Cabillaud aux herbes et beurre citronné, Knorr	65	2.5
Sachets cuisson, cuisson minutes Rustic Potatoes, Knorr	110	19
Sauce 3 pepper, Heinz	1771	12.5
Sauce 4 fromages, Panzani, conserve	118	4.1
Sauce à napper liquide en boîte, Poivre vert, Knorr	50	6

grammes		PORTION COURANTE		
LIPIDES (g)	PROTÉINES (g)	QUANTITÉ	GLUCIDES (g)	BAS/ MOD./ HAUT
0.1	1.1	15 g	3.62	●
0.1	1	15 g	3.5	●
<0.5	1.2	15 g	1.8	●
0.1	1.7	15 g	2.51	●
0.1	0.9	15 g	3.62	●
0.1	0.9	15 g	3.33	●
73	1.5	15 g	<0.5	●
27	0.9	15 g	1	●
79	1	15 g	<0.5	●
20	5	10 g	0.7	●
12	8	10 g	0.6	●
12	7	10 g	0.6	●
26	6	10 g	0.5	●
0.3	6.8	30 ml	1.77	●
17.7	2.6	15 g	2.43	●
51.4	6.3	130 g	8.32	◑
6	15	140 g	2	●
2.5	8	278 g	7	◑
1.5	2.5	108 g	21	●
40.2	1.9	15 g	1.88	●
10.1	3	120 ml	4.92	●
2.5	1.5	50 ml	3	●

ALIMENTS	POUR 100	
	ENERGIE (kcal)	GLUCIDES (g)
Sauce à napper liquide en boîte, Sauce Armoricaine, Knorr	45	5
Sauce à napper liquide en boîte, Sauce Madère, Knorr	50	6
Sauce à napper liquide en brique, Sauce à l'échalote à la crème fraîche, Knorr	130	14
Sauce à napper liquide en brique, Sauce au poivre à la crème fraîche, Knorr	65	6
Sauce à napper liquide en brique, Sauce au roquefort cuisinée à la crème fraîche, Knorr	120	4
Sauce à napper liquide en brique, Sauce aux morilles avec une touche de vin blanc, Knorr	65	5
Sauce à napper liquide en brique, Sauce béchamel à la noix de muscade, Knorr	90	10
Sauce à napper liquide en brique, Sauce beurre blanc à l'échalote, Knorr	180	5
Sauce à napper liquide en brique, Sauce carbonara à la crème fraîche, Knorr	140	5
Sauce à napper liquide en brique, Sauce hollandaise au jus de citron, Knorr	170	5
Sauce à napper liquide en sachet souple, Sauce aux champignons des bois, Knorr	85	3.5
Sauce à napper liquide en sachet souple, Sauce aux Trois Poivres, Knorr	65	4
Sauce Andalouse, Heinz	2241	7.3
Sauce Barbecue Amora	140	29
Sauce Barbecue Miel Amora	130	27
Sauce blue cheese, Heinz	1541	7.8

| grammes | | PORTION COURANTE | | |
LIPIDES (g)	PROTÉINES (g)	QUANTITÉ	GLUCIDES (g)	BAS/ MOD./ HAUT
1.5	2	50 ml	2.5	○
2	1.5	50 ml	3	○
7	1.5	75 ml	10	●
4	1.5	75 ml	4	○
10	3	75 ml	3	○
4	1	75 ml	4	○
4	4	100 ml	10	●
17	1	75 ml	4	○
10	3.5	100 ml	5	◑
15	1	75 ml	4	○
6	2	70 ml	2.5	○
4.5	2.5	65 ml	2.5	○
56	1.7	15 g	1.1	○
0.6	0.8	15 g	4.5	○
0.6	0.7	15 g	4	○
36.9	1.2	15 g	1.17	○

ALIMENTS	POUR 100	
	ENERGIE (kcal)	GLUCIDES (g)
Sauce Burger Amora	240	12
Sauce Curry Mangue Amora	280	11
Sauce déshydratée à napper, Sauce à l'échalote, Knorr	420	58
Sauce déshydratée à napper, Sauce aux Trois Poivres, Knorr	450	44
Sauce déshydratée à napper, Sauce Béchamel, Knorr	450	64
Sauce déshydratée à napper, Sauce Beurre Citron, Knorr	490	51
Sauce déshydratée à napper, Sauce Hollandaise aux fines herbes, Knorr	480	41
Sauce déshydratée à napper, Sauce liée pour Rôti, Knorr	330	58
Sauce caesar, Heinz	1835	7.8
Sauce Carbonara, Knorr	130	4.5
Sauce Fruty Thaï Amora	90	22
Sauce Pommes Frites Amora	280	25
Sauce salade, Sauce Bulgare Plaisir&Légèreté Citron Ciboulette, Amora	322	13
Sauce salade, Sauce Bulgare Plaisir&Légèreté Concombre, Ail, Aneth, Amora	322	12
Sauce salade, Sauce Crudités Caesar, Amora	190	9
Sauce salade, Sauce Crudités La Légère, Amora	180	11
Sauce salade, Sauce Crudités Nature, Amora	290	3

grammes		PORTION COURANTE		
LIPIDES (g)	PROTÉINES (g)	QUANTITÉ	GLUCIDES (g)	BAS/ MOD./ HAUT
21	1	15 g	2	○
26	0.6	15 g	1.5	○
16	9	50 ml	4.9	○
25	11	50 ml	3.5	○
20	1	125 ml	15	●
27	8	50 ml	5	◑
27	16	50 ml	3	○
4	14	50 ml	3	○
1.6	2.8	120 ml	9.36	◑
11	4	120 ml	5.4	◑
0.1	0.2	15 g	3.5	○
NC	1	15 g	4	○
30	1	30 ml	3.9	○
30	1	30 ml	3.6	○
14	3	30 ml	2.9	○
14	0.9	30 ml	3.5	○
30	0.7	30 ml	0.9	○

ALIMENTS	POUR 100	
	ENERGIE (kcal)	GLUCIDES (g)
Sauce salade, Vinaigrette Framboise et Romarin, Amora	240	3.5
Sauce salade, Vinaigrette légère à la Moutarde, Amora	250	3
Sauce salade, Vinaigrette légère à l'Echalote, Amora	240	2.5
Sauce salade, Vinaigrette légène Nature, Amora	250	3
Sauce Samouraï Amora	260	7
Sauce soja, Kikoman	53	4.9
Sauce Wasabi Amora	270	9
Soja cuisine bio, Bjorg	190	3
Tomate, Le coulis de tomates, 100 % tomates d'été, Heinz, brique	37	7.1
Tomate, Sauce Italienne viande rôtie Zapetti, conserve	78	8
Tomate, Sauce tomate au basilic, Jean Martin	42	5.7
Tomate, Sauce tomate au basilic Bio, Jardin bio'	52	6.2
Tomate, Sauce tomate Boloballs barbecue Panzani	89	9
Tomate, Sauce tomate Bolognaise Barilla	77	4.5
Tomate, (La) Sauce tomate cuisinée ail et oignon, Heinz, brique	79	9.7
Tomate, (La) Sauce tomate cuisinée parmesan, Heinz, brique	77	9.2
Tomate, Sauce tomate Pesto di rosso Barilla	344	15

grammes		PORTION COURANTE		
LIPIDES (g)	PROTÉINES (g)	QUANTITÉ	GLUCIDES (g)	BAS/ MOD./ HAUT
25	<0.5	30 ml	1	●
26	<0.5	30 ml	0.9	●
26	<0.5	30 ml	0.8	●
26	<0.5	30 ml	0.9	●
26	0.8	15 g	1	●
0.6	8	10 g	0.49	●
26	0.7	15 g	1.5	●
18	3.5	15 ml	0.45	●
0.1	1.6	120 ml	8.52	◑
3.5	3.5	120 ml	9.6	◑
1.2	1.4	120 ml	6.84	◑
1.7	1.6	120 ml	7.44	◑
3.1	3.1	120 ml	10.8	●
4	5	120 ml	5.4	◑
3.6	1.4	120 ml	11.6	●
3.6	1.5	120 ml	11	●
29.5	3.5	120 ml	18	●

ALIMENTS	POUR 100	
	ENERGIE (kcal)	GLUCIDES (g)
Tomate, Sauce tomate Provençale Panzani	58	8.1
Vinaigre balsamique de Modene, Carapelli	97.8	18.6
Vinaigre de vin blanc	12	5
Vinaigre de vin rouge, Amora	22	0.3
Vinaigrette recette classique	variable	variable
Vinaigrettes prêtes à l'emploi : voir Sauce salade page 164		
Worcestershire, Heinz	359	18.1
ÉPICES		
Cannelle, moulue	266	36.6
Cardamome, moulue	312	40.5
Chili, poudre	314	20.5
Cumin, graines	428	33.7
Curcuma, moulu	354	43.8
Curry, poudre	342	25.2
Fleur de sel, non iodée, non fluorée	0	0
Gingembre, moulu	332	57.5
Muscade, moulue	525	28.4
Paprika, moulu	289	18.3
Pavot, graines	525	8.6
Poivre, blanc	296	42.4
Poivre, noir	255	38.3
Safran, pistil	310	61.4

grammes		PORTION COURANTE		
LIPIDES (g)	PROTÉINES (g)	QUANTITÉ	GLUCIDES (g)	BAS/ MOD./ HAUT
2	1	120 ml	9.72	◑
0	1	15 ml	2.8	●
		15 ml	0.75	●
0.3	0.2	15 ml	0.05	●
variable	variable	15 ml	variable	●
0.3	0.9	15 ml	2.72	●
1.88	3.96	5 g	1.83	●
6.7	10.76	5 g	2.02	●
16.76	12.26	2 g	0.41	●
22.3	17.8	5 g	1.69	●
9.88	7.83	5 g	2.19	●
13.8	12.7	5 g	1.26	●
0	0	5 g	0	●
4.24	8.98	5 g	2.88	●
36.31	5.84	5 g	1.42	●
12.95	14.76	5 g	0.92	●
41.56	17.99	5 g	0.43	●
2.12	10.4	2 g	0.81	●
3.26	10.95	2 g	0.77	●
5.85	11.43	2 g	1.23	●

ALIMENTS	POUR 100	
	ENERGIE (kcal)	GLUCIDES (g)
Sel blanc alimentaire, iodé ou non iodé, non fluoré	0	0
AIDES CULINAIRES		
Bouillon KUB Volaille, Maggi	239	26.1
KUB OR dégraissé, Maggi	163	19.5
KUB OR Herbes de Provence, Maggi	188	15.2
Levure chimique, Vahiné, sachet	74	18.3
Levure chimique moelleux prolongé, Vahiné, sachet	189	0
Levure de boulangerie traditionnelle, Vahiné, sachet	391	40
Levure du boulanger super active, Vahiné, sachet	403	40
Levure de bière, Superlevure Paillettes, Gayelord Hauser Diététicien	317	12

grammes		PORTION COURANTE		
LIPIDES (g)	PROTÉINES (g)	QUANTITÉ	GLUCIDES (g)	BAS/ MOD./ HAUT
0	0	5 g	0	●
10.8	9.2	1/4 cube	0.7	●
5.4	8.7	1/2 cube	0.4	●
8.4	12.5	1/2 cube	0.3	●
0	0.1	11 g	2.01	●
21	0	11 g	0	●
6.5	43	4.6 g	1.84	●
6.5	46	4.6 g	1.84	●
5	44	10 g	1.2	●

ALIMENTS	POUR 100	
	ENERGIE (kcal)	GLUCIDES (g)
CHARCUTERIES		
Bacon, filet, cuit	116	0.7
Blanc de dinde -25 % de sel, Fleury Michon	102	1
Bloc de foie gras de canard, appertisé	511	0.85
Boudin blanc poêlé	226	5.6
Boudin noir poêlé	261	1.8
Chorizo	477	3.5
Coppa	232	0.2
Foie gras cru de canard du Sud-Ouest, Picard	606	1.8
Foie gras de canard, appertisé ou pasteurisé	485	1.6
Foie gras, escalopes de foie gras cru de canard de Sud-Ouest 100 % à poêler, Picard	570	2.5
Fromage de tête	168	0.2
Jambon blanc - 25 % de sel, à l'étouffée, Le Bon Paris	108	0.4
Jambon blanc - 25 % de sel, Fleury Michon	119	0.8
Jambon blanc cuit à l'étouffée, Madrange	108	0.8
Jambon blanc Supérieur -25 % de sel, Carrefour	110	0.8
Jambon cuit	114	0.6
Jambon sec, découenné, dégraissé	195	1.77
Lard fumé cuit	258	Traces
Mousse de canard, Henaff, conserve	388	2.4

grammes		PORTION COURANTE		
LIPIDES (g)	PROTÉINES (g)	QUANTITÉ	GLUCIDES (g)	BAS/ MOD./ HAUT
2.3	23	50 g	0.35	●
1.5	21	50 g	0.5	●
52.4	9	65 g	0.55	●
18	10	125 g	7	◑
21.6	14.8	50 g	0.9	●
42.1	21.1	50 g	1.75	●
15.1	23.9	50 g	0.1	●
64	5.6	50 g	0.9	●
50.1	6.9	65 g	1.04	●
59.2	6.8	65 g	1.63	●
12	14.7	50 g	0.1	●
2.5	21	50 g	0.2	●
3.5	21	50 g	0.4	●
2.5	20.5	50 g	0.4	●
3	20	50 g	0.4	●
3.02	21.1	50 g	0.3	●
9.07	26.6	50 g	0.89	●
22.1	14.7	30 g	traces	●
38	9.1	78 g	1.87	●

ALIMENTS	POUR 100	
	ENERGIE (kcal)	GLUCIDES (g)
Pâté, Le pâté de campagne Bleu-Blanc-Cœur, Hénaff, conserve	347	3.7
Pâté, Le pâté de foie Bleu-Blanc-Cœur, conserve, Hénaff	348	1.8
Pâté, Le pâté de jambon Bleu-Blanc-Cœur, conserve, Hénaff	318	1
Rillettes de viandes (autres que porc)	424	0.117
(Les) Rillettes Chorizo, Hénaff, conserve	383	1.7
(Les) Rillettes pur porc, Hénaff, conserve	411	0.2
Salami	482	1.23
Saucisse alsacienne fumée	351	3.31
Saucisse cocktail	299	1.35
Saucisse de Francfort	293	1.15
Saucisse de Montbéliard	325	0.7
Saucisse de Morteau	333	0
Saucisse de Strasbourg	287	1
Saucisse de Toulouse	311	1.1
Saucisson à l'ail	286	0.7
Saucisson sec pur porc	405	<1.9
Viande des grisons	201	0.62
ŒUFS		
Blanc d'œuf cuit	48	1.18
Jaune d'œuf cru	366	0.53
Jaune d'œuf, cuit	351	3.36
Œuf entier cru	145	0.7
Œuf de poule, entier, brouillé ou en omelette	153	3.05

grammes		PORTION COURANTE		
LIPIDES (g)	PROTÉINES (g)	QUANTITÉ	GLUCIDES (g)	BAS/ MOD./ HAUT
32	12	78 g	2.89	●
33.5	10.9	78 g	1.4	●
29	14	80 g	0.8	●
40.3	15.1	65 g	0.08	●
36	13	72 g	1.22	●
38	17	78 g	1.16	●
45	18.1	50 g	0.62	●
28.2	21	120 g	3.97	●
27	12.7	50 g	0.68	●
26.7	12.1	120 g	1.38	●
28.8	15.7	120 g	0.84	●
30.2	15.2	120 g	0	●
25.9	12.5	120 g	1.2	●
25.7	18.8	120 g	1.32	●
25	14.6	50 g	0.35	●
32.9	26.2	50 g	<0.95	●
5.47	37.4	50 g	0.31	●
0	9.99	39 g	0.46	●
32.7	15.9	16 g	0.08	●
32.7	15.9	16 g	0.54	●
10.3	12.3	55 g	0.8	●
11.39	10.39	55 g	1.68	●

ALIMENTS	POUR 100	
	ENERGIE (kcal)	GLUCIDES (g)
Œufs de poisson	204	1.92
Œuf de caille	159	0.41
POISSONS, COQUILLAGES, CRUSTACÉS ET PLATS À BASE DE POISSON		
Accra de morue	259	17.7
Anchois à l'huile, égoutté	210	0
Bigorneau, cuit	108	8.81
Bisque de Homard, Liebig	43	4.2
Bouchées à la reine au poisson et fruits de mer	208	13.7
Brandade de morue, Tipiak, surgelé	134	15.2
Brick garni de poissons	186	8.24
Bulot, cuit	98.6	2.79
Cabillaud cuit au four	93.7	traces
Calmar en beignet (à la romaine)	220	17.8
Carpe, cuite au four	127	traces
Caviar, semi-conserve	178	2.5
Coquille Saint-Jacques, noix et corail, cuite	120	3.22
Coquilles Saint-Jacques à la Bretonne, Tipiak, surgelé	120	6.5
Crabe ou tourteau, cuit à l'eau	128	0.5
Crabe, appertisé	78.1	0.3
Croquettes de poisson Ail et Fines Herbes, Findus, surgelé	200	19
Espadon, cuit	191	traces
Feuilleté au saumon	283	20.5
Filet de cabillaud pané, Iglo	196	18

grammes		PORTION COURANTE		
LIPIDES (g)	PROTÉINES (g)	QUANTITÉ	GLUCIDES (g)	BAS/ MOD./ HAUT
8.23	28.6	15 g	0.29	○
11	13	9 g	0.04	○
16.1	10	120 g	21.24	●
9.71	28.9	30 g	0	○
1.2	15.4	120 g	10.57	●
2.4	1.2	200 g	8.4	◐
13.8	6.76	100 g	13.7	●
6.8	3	250 g	38	●
11.5	12.2	80 g	6.59	◐
0.6	20.5	120 g	3.35	○
0.9	21.4	120 g	traces	○
11.5	10.6	120 g	21.36	●
5	20.4	120 g	traces	○
7.52	25	30 g	0.75	○
1.58	23.2	100 g	3.22	○
7.2	7.4	110 g	7.15	◐
5.38	19.3	110 g	0.55	○
0.5	18.1	90 g	0.27	○
10	9.5	150 g	28.5	●
11	22.9	120 g	traces	○
17.1	9.6	100 g	20.5	●
7.5	14	150 g	27	●

VIANDES, POISSONS, ŒUFS

ALIMENTS	ENERGIE (kcal)	GLUCIDES (g)
		POUR 100
Filets de maquereaux touche de romarin et huile d'olive	264	traces
Filets de maquereaux le nature, cuisson vapeur, Petit navire, conserve	243	0.5
Filets de maquereaux moutarde, Saupiquet, conserve	198	0.8
Galettes aux Saint-Jacques, Tipiak, surgelé	202	21.8
Gambas	93.7	0
Gambas, cuites	100.7	0
Gratinée océane, Iglo, surgelé	138	7.2
Hareng, Atlantique, cru	158	0
Hareng fumé doux à l'huile	194	traces
Huître	22	0.8
Lasagne au saumon, Auchan, rayon frais	150	13.7
Limande sole, cuit vapeur	96.6	traces
Lieu noir, cuit	102	traces
Lotte, grillée	96.6	traces
Loup, cuit au four	154	traces
Maquereaux, cuits au four	238	traces
Maquereaux, frits	186	traces
Merlan, frit	125	traces
Merlu concassée de tomates et tagliatelles, Fleury Michon, rayon frais	110	11.3
Miettes de thon à la tomate, Saupiquet, conserve	104	4.6
Moules, cuites	114	7.4
Mousse de foie de morue, Balthor	476	2

grammes		PORTION COURANTE		
LIPIDES (g)	PROTÉINES (g)	QUANTITÉ	GLUCIDES (g)	BAS/ MOD./ HAUT
20.7	19.5	110 g	traces	○
17	22	110 g	0.55	○
16.5	11.3	169 g	1.35	○
9.4	7.5	125 g	27.2	●
0.9	21.4	120 g	0	○
1.5	21.8	120 g	0	○
7.5	10	175 g	12.6	●
9.04	18	90 g	0	○
14.8	15.1	200 g	traces	○
0.53	3.5	8 u	1.92	○
6.6	8.3	320 g	43.84	●
1.58	20.6	120 g	traces	○
1.1	23.1	120 g	traces	○
0.64	22.7	120 g	traces	○
6.61	23.6	120 g	traces	○
15.8	23.9	120 g	traces	○
10.3	23.6	120 g	traces	○
3.6	23.1	120 g	traces	○
3.5	7.5	270 g	30.51	●
3.4	13	160 g	7.36	◐
1.81	17.1	57.5g	4.26	○
47.6	9	65 g	1.3	○

ALIMENTS	POUR 100	
	ENERGIE (kcal)	GLUCIDES (g)
Noix de St-Jacques au pesto & Risotto crémeux, Marie, rayon frais	142	8.7
Perche, cuite au four	130	traces
Petites gambas, Fleury Michon, rayon frais	112	12.1
Parmentier de poisson, U, rayon frais	143	8.8
Poisson à l'Andalouse, Marie, rayon frais	114	9.9
Praires	59	5.7
Quenelle de poisson, cuite	241	21.3
Raie cuite au four	80.1	traces
Rillettes de saumon	231	3.4
Rillettes de thon	223	1.7
(petites) Saint Jacques & Tortis, Weight Watchers, rayon frais	101	14.1
Sardines à l'ancienne, à l'huile d'olive vierge extra, Connétable, conserve	210	traces
Sardines à l'ancienne, à l'huile d'olive vierge extra, Saupiquet, conserve	221	<1
Sardines, fraîches, crues	174	0
Sardines grillées	214	0
Sardines sans arêtes, à l'huile d'olive vierge extra, Connétable, conserve	300	traces
Saumon à l'oseille, Marie, rayon frais	167	14.6
Saumon, cru, élevage	181	traces
Saumon, cuit à la vapeur	217	traces
Saumon, fumé	169	traces
Sole, cuite au four	73	traces
Soupe de poisson, Liebig	31	2.9

| grammes | | PORTION COURANTE | | |
LIPIDES (g)	PROTÉINES (g)	QUANTITÉ	GLUCIDES (g)	BAS/ MOD./ HAUT
8.5	7.3	300 g	26.1	●
3.42	24.7	120 g	traces	○
4	6	280 g	33.9	●
8.5	7.4	300 g	26.4	●
4.3	8.2	300 g	29.7	●
1	6.8	12 u	4.45	○
13.1	9.16	100 g	21.3	●
0.5	18.9	120 g	traces	○
18.1	13.6	65 g	2.21	○
17.1	15.6	65 g	1.11	○
2	6.7	300 g	42.3	●
14	22	110 g	traces	○
15	22	115 g	<1	○
9	20.4	150 g	0	○
10.4	30	150 g	0	○
23	24	115 g	traces	○
9	6.6	200 g	29.2	●
11.3	19.9	60 g	traces	○
14	22.7	120 g	traces	○
9.11	22.8	50 g	traces	○
1	16	120 g	traces	○
1	2.6	300 ml	8.7	◐

ALIMENTS	POUR 100	
	ENERGIE (kcal)	GLUCIDES (g)
Surimi, bâtonnets	101	11.8
Tarama au saumon fumé, Blini	545	1.9
Tarte au saumon, Marie, surgelé	230	21.3
Thon à la Catalane, Saupiquet, conserve	69	3.7
Thon cru	136	traces
Thon entier au naturel, Saupiquet, conserve	116	0
VIANDES ET PLATS CUISINÉS À BASE DE VIANDE		
Agneau, collier, cru	184	traces
Agneau, côte première, crue	271	traces
Agneau, épaule rôtie	287	traces
Agneau, épaule maigre rôtie	187	0
Agneau, gigot rôti	193	traces
Beignets de poulet, Casino	255	19
Beignets Poulet Roti, Le Gaulois	244	16.5
Bœuf à pot-au-feu, cuit	240	0
Bœuf, bavette, crue	103	traces
Bœuf, Biftek, grillé	149	traces
Bœuf, joue de bœuf, crue	112	traces
Bœuf, plat de côtes, cru	283	traces
Bœuf, rosbif, rôti	140	traces
Caille	198	traces
Canard, confit	308	0
Canard, magret	205	traces
Canard, viande rôtie	194	traces
Cassoulet à l'oie aux haricots lingots, Raynal et Roquelaure, conserve	139	8.5

grammes		PORTION COURANTE		
LIPIDES (g)	PROTÉINES (g)	QUANTITÉ	GLUCIDES (g)	BAS/ MOD./ HAUT
2.15	8.65	50 g	5.9	◑
57	5.7	65 g	1.24	○
12.7	7.7	100 g	21.3	●
2.6	7.6	126 g	4.7	○
4.6	23.2		traces	○
0.9	27.1	140 g	0	○
13.2	16.4	120 g	traces	○
23.2	15.5	120 g	traces	○
18.3	30.5	120 g	traces	○
10.9	22.3	120 g	0	○
10.9	23.8	120 g	traces	○
14	11	120 g	22.8	●
14.6	10.9	120 g	19.8	●
14	28.5	120 g	0	○
3.27	18.3	120 g	traces	○
4.28	27.6	120 g	traces	○
3.56	20	120 g	traces	○
23.7	17.4	120 g	traces	○
3.78	26.4	120 g	traces	○
10.9	25.1	120 g	traces	○
24.98	20.99	120 g	0	○
10.9	26.7	120 g	traces	○
11.2	23.3	120 g	traces	○
6.3	10.2	260 g	29.2	●

ALIMENTS	POUR 100	
	ENERGIE (kcal)	GLUCIDES (g)
Cheval, viande rôtie	160	traces
Coq'Ailes nature, Maître Coq	199	3
Cordon bleu de dinde, Pic express	220	12
Croc'Kebab, Père Dodu	220	13.5
Dinde	161	traces
Escalope cordon bleu, Le Gaulois	231	15
Escalope cordon bleu, Père Dodu	190	15
Extra Grignottes de poulet nature, Le Gaulois	150	2
Faisan, viande rôtie	238	traces
Hachis parmentier, maggi, surgelé	109	11.9
Lapin, cuit	165	traces
Nuggets de poulet, Père Dodu	205	13.6
Oie, confit	308	0
Oie, viande rôtie	274	traces
Panés de poulet, Carrefour	254	16.1
Panés savoyard façon tartiflette, Le Gaulois	249	20.6
Pigeon, viande rôtie	213	traces
Pintade, crue	110	0
Porc, filet mignon, cuit	168	0
Porc, lard gras	654	1
Porc, poitrine, crue	260	0
Poule, viande bouillie	229	traces
Poulet, blanc, sans peau, cuit	121	traces
Poulet, rôti avec peau	290	0
Poulet, cuisses	191	traces

grammes		PORTION COURANTE		
LIPIDES (g)	PROTÉINES (g)	QUANTITÉ	GLUCIDES (g)	BAS/ MOD./ HAUT
5.29	28.1	120 g	traces	○
11	22	120 g	3.6	○
13	13	100 g	12	●
12.5	12.5	100 g	13.5	●
1.74	26.4	120 g	traces	○
12	15	100 g	15	●
8	14	100 g	15	●
6.3	21	120 g	2.4	○
12.1	32.4	120 g	traces	○
4.2	5.7	250 g	29.7	●
9.2	20.5	120 g	traces	○
10	15.2	120 g	16.3	●
25	21	120 g	0	○
17.5	29.1	120 g	traces	○
12.4	15.1	100 g	16.1	●
13.8	9.4	100 g	20.6	●
13	23.9	200 g	traces	○
2.47	20.6	120 g	0	○
7.08	26.1	120 g	0	○
7.36	69	30 g	0.3	○
21.4	16.9	90 g	0	○
11.9	30.4	120 g	traces	○
1.76	26.2	120 g	traces	○
19.5	26.9	120 g	0	○
9.6	26.2	120 g	traces	○

ALIMENTS	ENERGIE (kcal)	POUR 100 GLUCIDES (g)
P'tites Ailes rôties Volaé, Intermarché	200	2.8
Ravioli bolognaise, Zapetti, conserve	101	12.3
Sanglier, rôti	153	traces
Steak haché 5 % MG, cuit	158	traces
Steak haché 20 % MG, cuit	276	traces
Tomates farcies, riz à la tomate, Marie, rayon frais	119	12.8
Tripous naucellois, Charles Savy, La naucelloise, conserve	113	0.1
Veau, collier, cru	124	traces
Veau, escalope, cuite	149	traces
Veau, jarret, cru	109	traces
Veau, paupiette	182	9.79
Veau, poitrine, crue	120	traces
Veau, tendrons	240	0
ABATS		
Cervelle, agneau, cuite	126	0.8
Cœur, bœuf, cuit	94.2	0.91
Cœur, poulet, cuit	97.5	0.65
Foie, veau, cuit	142	1.57
Foie, volaille, cuit	155	0.17
Gésiers de canard confits, appertisés	152	0
Langue de bœuf, cuite	243	3.03
Ris de veau, braisé ou poêlé	127	traces
Rognon de veau, braisé ou poêlé	167	0
Rognon de porc, cuit	144	traces

grammes		PORTION COURANTE		
LIPIDES (g)	PROTÉINES (g)	QUANTITÉ	GLUCIDES (g)	BAS/ MOD./ HAUT
11.4	21.6	90 g	2.52	◯
3.4	4.4	200 g	24.6	●
4.38	28.3	120 g	traces	◯
5.85	26.3	100 g	traces	◯
19.2	25.8	100 g	traces	◯
5.4	4.5	390 g	49.92	●
4.7	17.7	230 g	0.2	◯
5.92	17.8	120 g	traces	◯
2.75	31	120 g	traces	◯
3.65	19	120 g	traces	◯
8.94	14.9	120 g	11.75	●
4.63	19.5	120 g	traces	◯
28.5	14	120 g	0	◯
8.8	10.8	100 g	0.8	◯
2.82	16.3	100 g	0.91	◯
3.08	16.8	100 g	0.65	◯
3.96	25	120 g	1.88	◯
6.21	24.7	100 g	0.17	◯
2.5	32.4	100 g	0	◯
15.6	22.6	120 g	3.64	◯
4.5	21.8	100 g	traces	◯
7	26	100 g	traces	◯
4.7	25.4	100 g	traces	◯

ALIMENTS	POUR 100	
	ENERGIE (kcal)	GLUCIDES (g)
ALTERNATIVES VÉGÉTALES		
Seitan en tranches, Soy	124	8
Seitan Gourmet Grill, Lima	144	6.2
Steak de soja Indienne, Sojasun	166	6.5
Tempeh cru	193	9.4
Tempeh cuit	197	9.35
Tofou soyeux, Soy	54	1.4
Tofou ferme fumé, Soy	156	1.3
Tofu ferme nature, Bjorg	164	1.1

grammes		PORTION COURANTE		
LIPIDES (g)	PROTÉINES (g)	QUANTITÉ	GLUCIDES (g)	BAS/ MOD./ HAUT
1.5	19.1	100 g	8	◗
4.6	19.1	100 g	6.2	◗
6.5	16.5	100 g	6.5	◗
10.8	18.5	100 g	9.39	◗
11.38	18.2	100 g	9.35	◗
2.9	5.2	100 g	1.4	●
8.9	16	100 g	1.3	●
9.9	16.9	100 g	1.1	●

LE *NOUVEAU*
RÉGIME
ATKINS

**Perdez jusqu'à 7 kg en 15 jours
et ne les reprenez plus jamais !**

PROGRAMME
SÛR ET EFFICACE
VALIDÉ
MÉDICALEMENT

- Plus équilibré et plus facile à suivre
- Soutenu par 50 études scientifiques
- 12 semaines de menus personnalisés

ATKINS

Dr Eric Westman,
Dr Stephen Phinney et Dr Jeff Volek

THIERRY
SOUCCAR
ÉDITIONS

Plus d'infos sur www.thierrysouccar.com

Angélique Houlbert et Elvire Nérin

LE NOUVEAU
RÉGIME
IG

Index   Glycémique

maigrir · **en maîtrisant** · **sa glycémie**

INCLUS
Votre carnet de bord
avec l'index glycémique
de 600 aliments courants

CARNET
DE BORD

THIERRY
SOUCCAR

ÉDITIONS

Plus d'infos sur www.thierrysouccar.com

LE RÉGIME CÉTOGÈNE CONTRE LE CANCER

Pr Ulrike Kämmerer - Dr Christina Schlatterer - Dr Gerd Knoll

CONTRE LE CANCER

La meilleure alimentation
quand on est confronté à la maladie

THIERRY
SOUCCAR
ÉDITIONS

Plus d'infos sur www.thierrysouccar.com